1994

Bonne Fête Maman!
Fernande & Raymond

D1219083

Au matin de notre histoire

Thérèse Sauvageau

Au matin de notre histoire

Souvenirs de nos ancêtres

Édition :	Éditions Anne Sigier 2299, boul. du Versant-Nord Sainte-Foy (Québec) G1N 4G2
Conception de la page couverture :	Éric Sigier
Mise en pages :	Robert Charbonneau
ISBN :	2-89129-186-7
Dépôt légal :	Bibliothèque nationale du Canada Bibliothèque nationale du Québec 4e trimestre 1992

Un mot de l'éditeur

Notre maison d'édition est fière de publier les textes et les tableaux de Thérèse Sauvageau.

Nous avons été touchés par ce respect de la mémoire de nos ancêtres et par le souci de fidélité à leurs valeurs. Nous avons laissé les textes dans l'originalité des dires de l'auteur; il faut les lire en les écoutant, comme on écoutait les histoires lors des veillées au coin du feu. Ces histoires sont toutes véridiques; pour répondre à cette question si souvent posée: «Dans votre temps, c'était comment?», Thérèse Sauvageau a interrogé les aïeux, les paysans, les artisans; elle a longtemps écouté les aînés, elle a fouillé les archives, consulté tous les documents qui pouvaient enrichir son livre. Son expérience de maîtresse d'école durant trente-six années lui permet de rapporter plusieurs anecdotes sur les jeunes lorsqu'ils «marchaient au catéchisme».

Beaucoup de lecteurs se retrouveront dans ces histoires... Ils revivront avec émotion, avec fierté ou avec sourire ces années du bon vieux temps où la confiance en la Providence, le courage, le travail, le respect de la nature, les joies de la vie de famille, le partage des corvées faisaient la vie de tous les jours.

Puisse ce livre demeurer présence et mémoire de nos ancêtres!

Anne Sigier

Note: À la fin du volume, on trouvera un glossaire où sont définis les mots ou les expressions propres au langage québécois, signalés par un astérisque à leur première entrée dans le texte.

En hommage aux ancêtres

« Si tu veux savoir où tu vas, regarde d'abord d'où tu viens. » Ce vieil adage est un témoin émouvant de notre histoire. L'abondante postérité, la conservation de nos droits, les chefs-d'œuvre qui nous entourent sont des reflets de notre culture, de notre peuple, de notre histoire.

Ce recueil, fruit d'interviews, de fouilles dans les archives et des souvenirs de l'auteur, raconte les coutumes, les mœurs, les préjugés qui ont dirigé la vie de nos ancêtres. Ces gens du terroir, avec leur ténacité, leur gros bon sens, leur esprit d'économie, ont fait des prodiges pour bâtir notre pays. Ces mémoires constituent un témoignage sur les préoccupations des gens de l'époque et sur leur mode de vie.

« Ce pays, le nôtre, celui qui assure la joie de vivre aujourd'hui, il fallait alors le conquérir à la force du poignet par la hache et la faucille, par le défrichement, la culture du sol, une vie de privations. Une foi de granit soutenait leur courage et animait leur héroïsme, ils aimaient leur terroir parce qu'ils travaillaient ensemble, souffraient ensemble et priaient ensemble. » *(Dom Fidèle Sauvageau)*

Les pionniers ont eu la sagesse, la générosité, le courage de tirer leur subsistance du sol qui leur était confié. Débrouillards et ingénieux, ils pratiquaient tous les métiers : défricheurs, laboureurs, charpentiers, menuisiers, forgerons, ébénistes, charrons, etc. À même leur quotidien, nos ancêtres trouvaient le temps de partager, de donner, de servir. Le bénévolat, les corvées, l'entraide étaient des coutumes typiques de nos devanciers. Cette force dans l'union leur a permis de se dresser fièrement contre de pénibles obstacles.

Ainsi à force de travail, d'ingéniosité, de sagesse, nos ancêtres nous ont légué des richesses patrimoniales et historiques qui témoignent de leur goût de vivre. Ils nous ont aussi appris le respect des autres, et un sens profond de la famille où les vieux avaient un rôle à jouer. Nous sommes les conservateurs de ce patrimoine culturel que nous transmettrons aux futures générations. Puissions-nous être dignes de tant de témoins qui s'échelonnent au fil des siècles !

Hommage à la mémoire d'un passé de labeur et de vaillance !

Hommage à la mémoire d'un passé de labeur et de vaillance

À force de travail, d'ingéniosité, de sagesse, nos ancêtres nous ont légué des richesses patrimoniales et historiques qui témoignent du goût de vivre, du respect des autres et du sens profond de la famille où les vieux avaient un rôle à jouer.
Les grands-parents, assis sur le perron* de leur vieille maison de pierres, symbolisent l'hospitalité bienveillante de nos ancêtres.

Le bien paternel

La vieille maison, qui avait vibré d'activités lorsqu'elle abritait la famille nombreuse, s'est vu délaissée peu à peu à la suite du départ des jeunes gens, les uns après les autres, dès qu'ils étaient en mesure de s'établir. Très souvent, c'est au dernier rejeton que les vieux parents transmettront leur trésor ancestral avec, évidemment, des droits et des charges. Ainsi, la vieille maison revivra de nouveau le cycle d'une autre génération.

À mesure que les aînés pouvaient voler de leurs propres ailes, tous les efforts de l'entreprise familiale convergeaient vers l'établissement des garçons, soit en les aidant à s'installer sur une terre nouvelle, soit en leur apportant le soutien et le nécessaire à l'apprentissage d'un métier, soit encore en poussant le zèle et la privation jusqu'à faire instruire un fils, tout en caressant l'espoir que le privilégié se consacrerait au sacerdoce. Heureusement qu'à cette époque l'avenir des demoiselles ne causait pas de soucis, car, en se mariant, les filles étaient désormais casées sans plus de préoccupations. Celles qui étaient vouées au célibat n'entraînaient pas davantage d'obliga-tions, étant donné que, par l'éducation reçue, elles étaient tout simplement formées pour travailler aux services de la famille.

Au fil de l'essaimage, les parents vieillissaient. Alors, selon la tradition, avant le départ du dernier enfant, ils léguait la propriété ancestrale par voie de donation afin que le patrimoine se transmette de père en fils. Le contrat de donation se passait chez le notaire, peu de temps avant le mariage de l'héritier, à la condition que la future bru réponde aux exigences des parents. S'il y avait opposition, pour quelque raison que ce soit, la sentence paternelle tombait, catégorique : « Mon garçon, si tu maries cette fille, tu n'auras pas ma terre. » Et le fils savait que cette décision était irrévocable. Le bien paternel, c'était sacré.

Les obligations que comportait l'acte de donation entraînaient des frais assez élevés pour le jeune homme qui, souvent, acceptait les engagements sans trop en connaître les conséquences. Voici, en résumé, le genre d'obligation que comportaient ces actes : le donataire devait garder avec lui les donateurs, les nourrir, les vêtir et les entretenir convenablement, en prendre soin, malades comme bien-portants. Il devait garder aussi les frères et sœurs célibataires, les entretenir et les nourrir à condition qu'ils travaillent pour la maison, en proportion de leurs capacités. Suivait une énumération des droits et des réserves en faveur des donateurs.

Jadis, l'héritier du bien paternel jouissait d'un certain prestige parce que l'on témoignait à l'héritier de la vieille souche respect et soumission. La jeune femme, tout heureuse de prendre pour époux un garçon bien établi, devait toutefois, par son mariage, partager la vie de «ceux qui étaient arrivés avant elle sur le bien». Cette vie commune soulevait des difficultés tôt ou tard, parce que, même involontairement, la cohabitation avec des personnes qui avaient observé durant leur vie des coutumes et des habitudes bien ancrées ne changeait pas leur manière de vivre en raison de l'arrivée de l'«étrangère».

La belle-mère essaiera d'initier sa bru aux travaux domestiques selon ses coutumes. «Moi, quand j'ai élevé ma famille, je fabriquais tout de mes mains.» Si la jeune mère a besoin du médecin: «Ah! dira la grand-mère, dans notre temps, on se soignait avec des harbages; ça coûtait rien, pis* on n'est pas morts.» Ces pensées étaient dites sans méchanceté. Et la belle-fille devait encaisser en silence les rebuffades inconscientes et tenaces de la belle-mère.

Lorsque les deux femmes sarclaient le jardin, la plus jeune n'avait pas l'habitude et la rapidité de celle qui avait de l'expérience. Un sentiment d'infériorité, ajouté à la fatigue,

déprimait alors la jeune femme, tout ça à l'insu de la belle-mère qui croyait bien faire en déployant ainsi son habileté. Dans tous les domaines, le savoir-faire de la plus vieille devait diriger les méthodes de travail.

La visite des enfants qui se sont transplantés en ville ou au loin rendent les vieux très heureux, et même quelque peu vaniteux. Le plus minime cadeau de leur progéniture les comble de bonheur. Au jour de l'An, c'est la réunion traditionnelle de toute la parenté à la vieille maison. On célèbre joyeusement, évidemment; les grands-parents sont comblés de présents et de compliments. Mais qui a pensé à l'humble servante? Et pourtant, la jeune femme s'est bien dévouée pour recevoir la famille de son époux. Qui voit dans ses yeux la nostalgie des siens?

«Les enfants sont ben* plus tannants* que dans not' temps», répéteront maintes fois les grands-parents. Mais si la jeune mère corrige ses enfants, voilà que les mêmes plaignants réclameront l'indulgence maternelle en présence des petits. De plus, il arrivait que, inconsciemment, les vieux accordaient une préférence marquée en faveur d'un petit-fils. Le choix se portera le plus souvent sur l'aîné ou le filleul. Et bien sûr, l'élu bénéficiera d'une protection exagérée, au détriment des autres. Encore là, la mère est aux prises avec un problème qu'elle devra résoudre.

Parfois, quelques membres de la famille, surtout ceux qui y étaient entrés par alliance, devenaient ombrageux envers l'héritier du patrimoine: «C'est lui qui a tout eu.» Cette vieille expression, énoncée jalousement,

Le bien paternel

Le grand-père regarde l'œuvre de sa vie, la terre qu'il a défrichée, sa descendance...
Notre patrimoine est le témoin de ces vies sublimes. Il doit son existence à nos fiers ancêtres, piliers de notre survivance.

entachait quelquefois l'harmonie. On omettait le fait que le jeune ménage avait des obligations à remplir. D'abord, il devra continuer à vivre selon les habitudes anciennes, car les vieux étaient généralement réfractaires aux changements : «On a toujours vécu de même, pourquoi changer?» Puis, il est bien évident que la vieillesse, la maladie et les infirmités rendaient les grands-parents impatients. Donc, la mère devra refréner continuellement l'agitation des enfants : «Tenez-vous tranquilles! Allez vous coucher!» Aussi, on fera céder injustement les plus raisonnables en faveur d'un plus jeune afin d'obtenir la paix.

Naturellement, la maison paternelle demeurait le centre de ressources et le refuge de ceux qui étaient dans le besoin. C'était aussi la garderie des petits-fils de la ville. «On va passer les vacances chez grand-père, ça fait tant plaisir aux vieux»... quand on savait si bien que cet argument justifiait le désir de se reposer aux dépens de la famille. Encore là, la jeune mère devait se mettre au service de cette visite gênante de la grande ville qui avait conservé un pied-à-terre à la campagne.

Autrefois, la majorité des jeunes qui allaient s'établir à la ville attrapaient la folie des grandeurs. Et bien sûr, ils essayaient de s'imposer aux gens de leur patelin. Pour témoigner de leur supériorité, ils faisaient les prétentieux et les dédaigneux, en dépit de leurs origines terriennes. Cette fatuité ajoutée à d'autres impertinences enlevaient parfois à la belle-sœur le désir d'être aimable. Combien de fois, n'en

pouvant plus, la bru s'exclamera : «Mon Dieu, dans une cabane, au fond du bois, que je serais heureuse!»

La cohabitation sur le bien paternel comportait donc des difficultés, mais, en général, la jeune femme, souple et patiente, menait une vie remplie et heureuse parce qu'elle avait semé la joie autour d'elle. L'entente entre des personnes de générations différentes, habitant sous le même toit, dépendait en grande partie de la souplesse de l'étrangère.

Avant le mariage, la future bru, issue d'une famille honnête et qui, en public, faisait preuve d'un caractère aimable, était considérée comme une future épouse idéale. Mais pour connaître vraiment quelqu'un, il faut vivre avec lui. Or, cette gentillesse en société pouvait se changer en méchanceté dans l'intimité du foyer. En effet, on a vu de ces femmes à l'humeur et au caractère inconstants devenir, après leur entrée dans la nouvelle demeure, les maîtresses absolues du bien paternel. Ces pauvres vieux, qui avaient travaillé péniblement sur leur terre, étaient mis à l'écart par l'étrangère qui n'avait apporté, la plupart du temps, aucun bien personnel.

La donation du bien paternel n'était pas vraiment un don. En effet, pour mériter la terre ancestrale, le fils devait faire des concessions et accorder des faveurs. Ces principes ont rendu possible la cohabitation de trois et même parfois de quatre générations sous le même toit.

Quatre générations sous le même toit

Les principes du renoncement et des privations ont rendu possible la vie commune de trois et même quatre générations sous le même toit.

Une authentique famille de chez nous

Vers le milieu du dix-neuvième siècle, un grand nombre de jeunes gens se sont expatriés temporairement afin d'aller gagner un « magot », ce qui permettrait de s'assurer un avenir solide à leur retour au pays natal. Formés dès leur enfance à l'école du labeur, ces jeunes, attirés par l'or, s'aventuraient vers l'inconnu. La plupart parvenaient jusqu'à la côte du Pacifique.

Phydime fut l'un de ces exilés volontaires. Il se rendit jusqu'en Californie. Pendant dix ans, il travailla comme journalier, tantôt bûcheron, tantôt conducteur d'un attelage de bœufs pour transporter le bois. Au prix de l'éloignement et d'un travail ardu, Phydime revint des pays d'en haut* avec huit cents dollars en poche, une somme fabuleuse pour l'époque. Le retour du grand voyageur, vêtu d'un habit de ville* et portant à la boutonnière du veston la longue chaîne d'une montre en or dissimulée dans la poche avant de la veste, fut un grand événement pour sa famille; de plus, il était aussi un parti avantageux pour les filles qui désiraient se marier.

Sans hésitation, Phydime fixa son choix sur la belle Délina, une très jolie fille de vingt et un ans, d'une famille prestigieuse de la paroisse. Au cours d'une danse à la maison paternelle, la petite taille de Délina inspira au futur beau-père la remarque suivante: « En voilà une qui n'a pas encore sa grosse plume. » Après une courte réflexion, Phydime acheta une terre située dans son rang natal. Sitôt les contrats de propriété signés, les bans annonçant le mariage de Phydime et Délina furent publiés. Un foyer venait d'être fondé, un foyer qui, selon les mœurs du temps, donnerait à la communauté une progéniture nombreuse.

Le jeune ménage débute le plus modestement possible car il faudra payer des intérêts malgré le faible revenu de sept à huit vaches durant la saison de l'herbage. Délina est bien consciente des obligations matérielles; néanmoins, elle remplira avec intégrité l'engagement solennel pris au pied de l'autel, devant Dieu et les témoins: « Si Dieu se plaît à vous donner des enfants, élevez-les chrétiennement, préparez-les pour l'héritage du ciel, non pour celui de la terre. » Or, presque chaque année, les cloches sonneront le baptême d'un «p'tit Phydime».

Avec l'assentiment de son épouse, Phydime s'est empressé d'aller chercher sa mère qui vivait seule, affligée d'une maladie qui l'avait rendue impotente. Ce fils respectueux a rempli avec intégrité les préceptes du quatrième commandement de Dieu en procurant à sa mère tous les soins nécessaires que réclame le dernier âge de la vie. La pauvre grand-mère était bien gênée d'être dépendante de la famille de son fils, dont la jeune épouse devait cumuler toutes les tâches domestiques. Mais la droiture et la loyauté seront respectées avant tout: «Maman, la première place à la table est pour vous», disait avec égard le maître de la maison. Cette chère vieille n'a pas connu la solitude et l'ingratitude. «On l'aimait bien, mémère, parce qu'elle nous tricotait des mitaines et nous faisait des catins*.»

Sans négliger les soins essentiels à la vie familiale, Délina a vêtu ses enfants d'étoffe du pays et de toile de lin qu'elle a elle-même confectionnées. Tous seront chaussés de bottes sauvages* et de souliers de beu* fabriqués de ses mains avec des peaux de veau tannées. La maisonnée sera nourrie des produits de la terre. Chaque automne, à bord d'un navire, même lorsqu'elle est enceinte, elle ira vendre au marché des poules qu'elle a tuées et plumées, des quartiers de mouton et de bœuf, du tabac qu'elle a cultivé, etc. Le fruit de ces ventes servira d'abord à payer les rentes de quatre cents dollars empruntés à Demoiselle Évelyna, et le reste sera mis en réserve pour parer aux contrecoups, disait-on.

Combien de nuits blanches a-t-elle passées à soigner et à bercer les petits braillards qui troublaient le sommeil du père. Et malgré le manque de sommeil, la mère sera rendue la première à l'étable. Souvent même, elle terminera seule le train* pour que son homme puisse vaquer à d'autres occupations. De retour à la maison, elle fera sauter les crêpes dorées qu'elle donnera à la marmaille affamée.

Délina, cette femme profondément chrétienne, inculquera à sa famille de fermes convictions religieuses. Le chemin de l'église était souvent battu par ses enfants qui se rendaient à la messe matinale ou aux exercices de piété durant le carême, le mois de Marie et autres offices. La prière en famille était une obligation morale respectueusement observée. Après le souper, tout le monde, y compris les invités, s'agenouillait face à la croix de tempérance pour prier Dieu avec humilité et confiance.

Cette mère énergique a accompli une œuvre surhumaine. Elle a transporté l'eau au joug d'une fontaine assez éloignée jusqu'à la maison, par tous les temps, pour satisfaire aux nombreux besoins de la famille. Son monde n'a jamais manqué de pain ni de beurre baratté avec l'aide des fillettes. De temps en temps, le lard salé sera remplacé par la viande du mouton qu'elle a saigné ou du veau qu'elle a abattu. Après le dîner, durant la période des foins, cette épouse compréhensive amènera les petits turbulents sous les érables, non loin de la maison, pour laisser reposer son mari en paix. Pour elle, les pauses étaient inadmissibles. Alors, pour reprendre son souffle, ses doigts s'agitaient sur les aiguilles d'un tricot.

Phydime, selon la conception des droits paternels de cette époque, faisait respecter son autorité de manière impérative; malheureusement, cette attitude rigide attirait plus la crainte que la compréhension et l'indulgence dans le milieu familial. Naturellement, la mère devait être diplomate et tâcher d'assouplir les rapports de la vie communautaire.

Délina a toujours respecté les promesses du sacrement de mariage, et comme témoignage de fidélité à ses engagements, elle a donné à la patrie treize enfants, dont plusieurs ont reçu une instruction supérieure. Chacun de ses sept fils et de ses six filles a été préparé à entrer dans la société par une éducation morale, doté d'un solide sens de la justice. Les enfants formés au sein de cette famille honorable ont respecté et imité l'exemple de l'amour du devoir dans l'accomplissement des différentes professions exercées par chacun. Et pour confirmer cet amour, deux filles ont répondu à l'appel de Dieu en se consacrant à la vie religieuse.

Délina ne s'est pas limitée à ses obligations familiales. Lorsque ses enfants ont pu voler de leurs propres ailes, elle n'a jamais refusé ses services de sage-femme. Encouragée par son époux, qui consent volontiers à se priver de la présence de sa chère Délina pour soulager la misère d'autrui, la sainte créature*, à toute heure du jour ou de la nuit, se rendra rapidement auprès de la jeune mère pour lui procurer assistance et dévouement.

Cette créature étonnante comprenait de façon naturelle et profonde les misères autant morales que physiques du prochain. Combien de femmes déprimées a-t-elle remises sur pied grâce à la confiance et à la sérénité qu'elle dégageait. Cependant, dans son humilité, Délina attribuait la guérison à l'efficacité d'un remède domestique qu'elle faisait avaler à la malade. «Quand je voyais arriver ma tante Délina, immédiatement, je remontais la côte. Sans elle, je ne sais ce que je serais devenue», répétait une nièce à ses enfants. Des actes d'humble charité ont souvent un effet plus prolongé, quoique moins retentissant, que le résultat de certaines actions d'éclat.

Durant la période de grande pauvreté, nos fiers ancêtres ont lutté contre les nombreuses misères d'un pays en devenir. Armés de courage, de volonté et de foi, nos grands-parents, gens de principes, ont légué à leur patrie de nombreux enfants. Autrefois, peu importait qu'il y en ait un de «plusse» ou un de moins à table; il y en avait pour tout le monde. Jeune comme vieux, chacun avait sa place dans la maison paternelle.

La prière en famille

Autrefois, la prière en famille était une coutume religieusement respectée dans nos maisons. Après le souper, lorsque les femmes avaient terminé la vaisselle et que les hommes cognaient leur pipe sur le bord du crachoir après avoir boucané à la lueur de la lampe à l'huile, tout le monde s'agenouillait dans une posture qui trahissait la fatigue d'une journée de labeur pour la longue prière du soir.

Le curé de campagne Léandre Gill

Les curés de campagne exerçaient une influence notable sur leurs paroissiens. D'ailleurs, dans ce temps-là, l'obéissance à toute autorité, qu'elle soit gouvernementale, paternelle ou religieuse, était de rigueur. Or, certains curés, par leur caractère original, un peu mystérieux, belliqueux ou autoritaire à l'excès, ont marqué l'histoire de nos anciennes paroisses.

L'abbé Léandre Gill a accompli ses fonctions de directeur spirituel dans un temps où la croissance de la population augmentait. Alors, pour faire place à cette jeunesse prometteuse, le pasteur a encouragé une colonisation expansive en favorisant l'établissement sur des terres éloignées. Sur l'invitation bienveillante du curé, les jeunes gens se réunissaient souvent au presbytère.

M. Gill avait une façon bien particulière de faire honneur à sa visite. Au centre de la table, il déposait une espèce de grande pipe remplie de tabac ; du fourneau de la pipe partaient plusieurs tuyaux flexibles dont l'extrémité de chacun était aplatie comme un bouquin ordinaire. On peut s'imaginer l'atmosphère sympathique de ces réunions autour de la table sur laquelle était déposée l'énorme pipe. De celle-ci, chacun aspirait la boucane* d'un même feu au moyen d'un tube individuel.

Des travaux d'agrandissement de la sacristie ont été entrepris durant le mandat de M. Gill. La suggestion de corvées* pour le transport de la pierre des champs fut acceptée d'emblée par les paroissiens volontaires. M. le curé offrit de prêter son cheval pour véhiculer les lourdes pierres. C'était une bête de trait noire, maigre, à l'allure d'un piton*. Il dit à celui à qui il confia l'animal : «Ne le ménage pas, charge-le tant que tu pourras. Puis, à la fin de la journée, ramène-le-moi, je me charge d'en prendre soin, de le dételer et de le nourrir.» Cet ordre fut respecté. Tout le temps que durèrent les travaux, le cheval vigoureux était toujours ruisselant de sueur, les yeux sortis de l'orbite, les naseaux dilatés ; il démontra une grande capacité et une endurance extraordinaires.

À la fin du transport, l'animal extravagant disparut mystérieusement sans laisser de traces. C'est à ce moment seulement qu'on s'est interrogé sur la provenance de ce cheval insolite dont on ne connaissait ni l'origine ni les circonstances de sa disparition. Le secret, si secret il y a, n'en fut jamais divulgué. Cette histoire étonnante fut maintes fois racontée par les témoins de l'étrange aventure. Ce fait bizarre, presque légendaire, reste encore dans la mémoire de la génération actuelle.

Ce prêtre vénérable a souvent donné des preuves évidentes de son penchant pour la nature et ses êtres. Quand arrivait le décours de la lune de février, M. Gill attendait avec hâte sa corneille. Lorsqu'il disait : « Ma corneille va arriver bientôt », les gens percevaient dans son regard la nostalgie de son oiseau préféré. Ce regard laissait aussi transparaître une joie, car, comme le certifiera son successeur, M. le curé témoignait un attachement particulier à ses fleurs, à ses arbres fruitiers, à son jardin.

En arrivant dans le pays, la messagère venait crailler sur le perron du presbytère. L'hôte s'empressait de ravitailler sa visiteuse, et, amicalement, tous deux s'entretenaient dans leur jargon respectif. Souvent, l'abbé réussissait à prendre l'oiseau dans ses mains pour le caresser et l'apprivoiser davantage.

Un jour, M. Gill prêta de l'argent à un brasseur d'affaires de Sainte-Anne pour l'achat et le défrichement d'un lot au rang Hêtrière*, appelé par la suite « Le Pérou » ; le sol de cet endroit perdait sa fertilité après le déboisement, étant donné la pauvreté du terrain et les difficultés d'irrigation. L'acquéreur ne l'apprit à ses dépens qu'après coup.

Le propriétaire, M. Rousseau, avait engagé des jeunes gens du village pour rendre propre à la culture ce lot boisé en partie de hêtres et d'érables. Puis, au moyen de piquets, il déterminait pour chaque homme l'étendue d'un arpent carré à défricher. Pour trente-trois louis, le journalier s'engageait à bûcher les arbres de l'espace ainsi délimité et à essoucher cette même surface au moyen d'outils rudimentaires : pioche, hache, pelle. De plus, pour acquitter les clauses de son contrat, le bûcheron devait brûler le bois et épierrer le terrain. Ainsi, par leurs seuls bras, les hommes ont défriché un domaine d'une largeur de trois arpents sur onze de longueur.

Cependant, à la suite de pertes monétaires, M. Rousseau ne put rembourser au curé l'argent emprunté pour l'exploitation de ce bien. Il fit alors cession de la terre à son créancier. Vers la même période, le mauvais rendement financier d'un investissement que M. Gill avait fait dans une compagnie d'assurances engloutit l'argent provenant d'un héritage de famille. En outre, cette mauvaise fortune coïncida avec les premières crises d'épilepsie dont fut frappé le curé. Dans ce temps-là, la science disait incurable cette maladie. M. Gill, ne pouvant plus exercer son ministère, décida de prendre sa retraite. Toutes ces circonstances malheureuses lui ont cependant laissé la possibilité de résider sur sa propriété, dans la saine et paisible nature. Il réalisait ainsi, malgré le mauvais sort, un rêve longtemps caressé.

L'abbé Gill avait un penchant particulier pour l'établissement des jeunes sur des terres nouvelles. Il rêvait de convertir en exploitation agricole cette forêt qui séparait deux paroisses

23

à quelques lieues du fleuve Saint-Laurent. Dans son enthousiasme, ce prêtre colonisateur voulut fonder une nouvelle localité. Pour donner suite à son projet, il fit construire une chapelle afin d'inaugurer la fondation. Cependant, M. le curé Guertin, de Saint-Casimir, voyait d'un mauvais œil ce nouveau développement qui, selon les premières constatations, enlèverait à sa juridiction la partie nord de son territoire.

Avec l'aide de son neveu Émile, à qui il confia son domaine en partie propice à la culture, M. Gill fit bâtir, sur un solage* de pierres des champs d'une dimension de trente pieds de côté, une maison dans laquelle se tiendrait le service religieux. La bâtisse était éclairée par sept grandes fenêtres, chacune d'elles surmontée d'un demi-cercle. Attenant à cette bâtisse, du côté est, une annexe de douze pieds sur quinze s'élevait sur un solage fait aussi de pierres des champs. Les murs intérieurs de la dernière partie étaient enduits de crépi, et une énorme cheminée maçonnée de cailloux surplombait le toit. Ce fournil*, formant un angle droit avec la chapelle, tenait lieu de résidence.

Les abords de la magnifique propriété de M. Léandre Gill, ancien curé de Saint-Charles-des-Grondines, étaient enjolivés de jardins et de parterres. Voici, de la plume de son successeur, un extrait des archives qui atteste, par sa critique amère, l'attrait particulier de M. Gill pour les merveilles de la nature: «À mon arrivée, le jardin était affreusement abandonné. M. Gill avait eu soin de le piller et de le faire piller à son départ pour sa terre de

Saint-Casimir, de sorte qu'il ne restait à peu près que des rebuts. À part cinq arbres vigoureux de petites pommes, il ne restait que des arbres mourants et quelques talles* de bouquets vivaces qui n'avaient pas été jugés d'être enlevés.»

Pour pallier la grande pauvreté à laquelle était réduit M. Gill, à la suite de mauvaises transactions, Mgr l'Archevêque lui assigna une rente viagère. Le paiement de la contribution devait être partagé également entre la Fabrique et le curé successeur. Voici un extrait des archives qui dénote une certaine résistance de la part du curé Martel face à cet ordre: «6 avril 1879. Le curé s'est retiré à la condition de recevoir cent dollars, paiement moitié par M. Martel et moitié par la Fabrique, rente imposée la vie durant pendant la maladie dont il souffre actuellement. Quoique le curé n'ait reçu aucun service dudit Messire L. Gill, il est cependant obligé par l'Archevêque à donner un montant aussi considérable que la Fabrique qui représente la paroisse et à qui M. Gill a rendu des services pendant si longtemps. Néanmoins, M. le Curé déclare se soumettre, comme c'est son devoir, à cet ordre donné par Mgr l'Archevêque de Québec.»

Bien que les écrits de M. Martel révèlent un certain mécontentement sur l'administration précédente, il entretenait quand même de bonnes relations avec son prédécesseur. Durant la saison estivale, M. Gill a souvent le plaisir de recevoir un ami qui, en plus de sa bienveillante présence, lui donne des nouvelles de ses anciens paroissiens bien-aimés. Lors d'une de ces visites amicales, Mlle Turcotte, cuisinière experte qui s'est aussi transplantée pour demeurer aux services du curé retraité, sert aux deux abbés un savoureux plat de résistance. L'espiègle M. Gill demande à son invité: «Jos, comment trouves-tu le ragoût?» «Excellent, excellent», répond le cher confrère. Connaissant le dégoût de son ami pour certains animaux sauvages, l'hôte souriant l'invite à deviner quel animal a fourni une si bonne chair. «Regarde ce que tu as mangé», dit M. Gill en montrant la peau d'une mouffette. «T'en fais jamais d'autre», répond Jos, entre deux haut-le-cœur.

Les jeunes défricheurs qui ont adhéré au projet de colonisation de leur pasteur ont été bien favorisés par la présence de celui-ci à peu de distance de leur terre en bois-debout. Les Télesphore Laganière, Trefflé Trottier, Adelphe Trottier, Octave Laganière, Liboire Laganière, avec d'autres nouveaux venus, ont bénéficié des encouragements si nécessaires à des pionniers privés souvent de l'indispensable. Lorsque les chemins étaient impraticables ou que le temps était trop maussade pour se rendre à l'église paroissiale, ces jeunes avaient la permission de se diriger vers la chapelle du «Pérou», située à quelques arpents, pour l'accomplissement de leurs devoirs dominicaux.

Les agriculteurs qui s'étaient installés plus profondément vers la montagne, avant l'arrivée de leur ancien curé, ont eu la chance de défricher une terre généreuse qui a bien fait vivre les générations qui l'ont habitée. Malheureusement, en raison de l'infertilité de la terre, le projet de développement agricole vers le sud-ouest envisagé par M. Gill ne fut jamais réalisé. Néanmoins, après un siècle, restent encore les vestiges de solages couverts de mousse, le tout protégé par la forêt, végétation propre à ce sol. Ces vestiges attestent véritablement le patriotisme et l'héroïsme d'un curé de campagne en vue du développement du territoire.

Le curé Léandre Gill est décédé à l'hôpital du Sacré-Cœur et fut inhumé le 29 juillet 1885 au cimetière du même hôpital. Un service fut chanté en l'église des Grondines le 9 août suivant. Cette figure sympathique a été regrettée par les paroissiens, même si son départ de la paroisse remontait à quelques années. Il est vrai que le successeur, par son caractère intransigeant, a peut-être amplifié le chagrin causé par la disparition de cet homme d'Église. Les œuvres de ce prêtre patriote se prolongent au-delà de sa mort sans qu'on puisse les éliminer. Grâce à son influence et à sa perspicacité, des ancêtres ont enfoncé profondément leurs racines dans les terres au Pied-de-la-Montagne.

Un curé de campagne autoritaire

Les Mémoires du curé Martel dénotent un dévouement et une générosité incontestables dans l'accomplissement de ses fonctions comme directeur des âmes et des biens de la Fabrique de Grondines. Cependant, ses humeurs et la sévérité de ses critiques semaient parfois la discorde. Néanmoins, ses années passées à la paroisse ont été marquées par une amélioration tant dans le domaine religieux qu'administratif.

L'abbé Jos Martel assume la direction spirituelle de la paroisse à partir du 25 septembre 1877. « J'ai tout trouvé dans un état de pauvreté, de malpropreté et de délabrement affreux, il me fallait voir à tout réparer » (extrait des archives de la Fabrique). Cette introduction n'est pas des plus bienveillantes à l'égard du curé précédent : elle laisse entrevoir le caractère quelque peu revêche de son auteur. En effet, dès le début, ce prêtre combatif s'est trouvé des adversaires, même parmi des citoyens réputés paisibles.

Le hasard a voulu que deux êtres dotés chacun d'un caractère opiniâtre, le curé Martel et la Grand-Julie, résident sur des terres voisines. Les fréquentes rencontres de ces personnes inflexibles ne pouvaient que multiplier les points de discorde, les disputes épiques ainsi que les attaques agressives et sournoises. Tous deux ont laissé à l'histoire du petit village de Grondines des faits cocasses marqués par les tactiques rusées et enfantines des deux belligérants.

« De plus, je me vis refuser de l'eau dès mon arrivée comme cela était arrivé au curé Gill. En effet, à mon arrivée, j'envoyai mon homme chercher une tonne d'eau au ruisseau chez Olivier Grondines. Mais Madame Grondines, Julie Laganière, de célèbre mémoire, ne voulut pas en laisser prendre et l'homme dut aller au fleuve. À quelque chose, malheur est bon ! Cette grossièreté me fut utile. Je fis voir à mes marguilliers qu'il ne convenait pas de laisser un curé à la merci des voisins pour avoir de l'eau et que je voulais avoir un puits chez moi » (extrait des archives de la Fabrique).

Les marguilliers ont approuvé la demande raisonnable du curé et les travaux d'excavation furent entrepris à proximité du presbytère. Ce prêtre méthodique et actif a fait faire pendant la durée de sa cure des rénovations avec une compétence exemplaire dans chacune des entreprises qu'il a dirigées avec une vigilance soutenue. À l'église, il fera remplacer l'escalier existant. À une assemblée de la Fabrique, il a proposé de faire faire deux cents crachoirs de 18 pouces sur 6, peints et posés dans les bancs de l'église pour le prix de quinze cents chacun, et aussi quelques grands crachoirs pour mettre dans le bas de l'église et dans le chœur. Le presbytère a été rénové de fond en comble. Le jardin a aussi été refait en 1880.

Après une chicane entre les marguilliers et M. Martel, le secrétariat de la Fabrique fut confié à un laïc. Cette dispute causa un grand désarroi car, en effet, les citoyens qui attribuaient au curé des pouvoirs occultes étaient frappés de stupeur devant la tournure des événements. Au prône, le curé adressa des paroles très sévères à l'endroit de ses adversaires : « Vous autres, les trois renégats, vous aller mourir le cul sur la paille. »

Les paroissiens s'adressaient souvent au bon jugement du curé afin de les aider à réfléchir sur une décision à prendre. Ainsi, un jour, selon la coutume, un père de famille demanda au curé Martel s'il devait faire instruire son fils : « Je ne te le conseille pas, répondit-il. Il n'y en a rien qu'un d'instruit dans la paroisse et c'est une tête de cochon. » C'est qu'au moment de la demande, le curé était en conflit avec un marguillier qui jouissait d'une instruction supérieure.

Dans ce temps-là, il y avait deux chœurs de chant à la grand-messe du dimanche. L'un se tenait à l'orgue, et l'autre dans le sanctuaire.

Les chantres de ce dernier groupe étaient revêtus d'un surplis et d'une longue jupe noire plissée à la taille. Or, la voix nasillarde d'un chanteur impatientait tellement le pauvre curé qu'à un moment donné il ne put contenir son irritation. Il s'écria en pleine célébration eucharistique : « Cléophas, veux-tu arrêter ton violon ? » La foudre serait tombée que l'effet n'aurait pas causé plus d'étonnement chez les fidèles.

M. Martel recherchait la perfection dans toutes ses entreprises. Aussi réclamait-il la même chose de ses employés. Pour faire les foins, il avait demandé les services d'un jeune homme fort et vigoureux. À un moment donné, il cria à son employé un ordre d'un ton acerbe. Pris par surprise, le jeune homme, quelque peu brutal, cassa accidentellement le manche de la fourche. Au salaire de l'employé, cinquante cents pour une journée de dix heures de travail ardu, l'employeur retint le coût de réparation de l'instrument brisé.

Le curé condamnait vivement la danse. Il la considérait comme pouvant être la cause de mœurs désordonnées. À un mariage, le curé, qui connaissait le goût des deux familles concernées pour la danse, rappela expressément la gravité de ce genre de divertissement défendu : « Si vous dansez, leur dit-il, je laisserai le bras de Dieu s'appesantir sur vous. » Les invités passèrent cependant outre aux ordres sévères de leur pasteur. Or, une coïncidence pour le moins étrange se produisit. L'époux fut frappé d'aliénation le soir même de ses noces. Son égarement dura une lune et, plus étrange encore, la maladie se répéta tous les sept ans jusqu'à sa mort. Après un tel événement, un violoneux qui gagnait deux dollars pour faire de la musique pendant une nuit ne se fit plus jamais le complice du diable et il vendit même son violon.

À l'approche de Noël, il était d'usage d'effectuer la quête de l'Enfant-Jésus. La quête et le parcours qu'elle emprunterait étaient annoncés au prône de la messe paroissiale. Pour le cérémonial de cette quête de l'Enfant-Jésus, il fallait une suite de deux voitures. La première transportait le prêtre qui procurait réconfort et bénédictions à la famille. Et immédiatement après le départ du prêtre, la deuxième voiture arrivait, conduite par le bedeau qui venait recueillir la dîme et les redevances au curé. Il entassait les dons des paroissiens dans sa voiture – viande, farine de blé et de sarrasin, savon, etc. –, et rentrait une dernière fois pour accepter le verre d'alcool qu'on lui offrait afin de combattre le froid. À la fin de la journée, le cher bedeau était souvent pompette, mais le curé Martel savait être indulgent à ses heures pour le messager de l'Enfant-Jésus.

Le curé Martel fut frappé de paralysie dans la nuit du 22 au 23 janvier 1894, et le premier juin suivant, la maladie l'emporta.

Ce prêtre énergique a administré avec soin les biens de la Fabrique. Il n'a jamais reculé devant les difficultés afin de réformer et d'améliorer les conditions de vie des paroissiens. Et, en prime, il a laissé en héritage à la paroisse quantités d'anecdotes pittoresques.

Nous devons honneur et reconnaissance aux curés de campagne qui, à l'époque, ont été l'âme dirigeante de nos paroisses. Ces hommes d'élite ont stimulé et exhorté les pionniers à créer un milieu chrétien dans la famille, à promouvoir le bien commun dans l'organisation paroissiale.

La quête de l'Enfant-Jésus

Pour le cérémonial de la quête de l'Enfant-Jésus, il fallait une suite de deux voitures. La première transportait le prêtre qui procurait réconfort et bénédictions à la famille. Et immédiatement après le départ du prêtre, la deuxième voiture arrivait, conduite par le bedeau qui venait recueillir la dîme et les redevances du curé.

Le médecin de campagne

Chaque époque s'enorgueillit de son élite. Qu'importe la science ou la vertu dans laquelle ces hommes ont excellé, leurs œuvres demeurent la gloire du peuple qui les a engendrés. Bon nombre de ces élites ont travaillé dans le domaine médical. Cette histoire veut mettre en valeur le dévouement sublime du médecin de campagne dans les années de misère et de pauvreté qu'ont connues les pionniers de notre pays.

Anciennement, pour seconder sa science dans le diagnostic des maladies internes, le docteur n'avait que son esprit perspicace et son dévouement. Il devait connaître tous les domaines de la médecine: extraire les dents à froid, amputer des membres déchiquetés sur une table de cuisine, «ramancher» les fractures, etc. Enfin, les soins de jour comme de nuit n'étaient pas limités. Ni les tempêtes ni les chemins impraticables ne parvenaient à vaincre la vaillance de ces hommes de bien.

Autrefois, les médicaments n'étaient pas tellement diversifiés; ils servaient à peu près contre tous les maux. Néanmoins, la substance médicinale et une bonne dose de confiance se transformaient en un remède très efficace. Un médecin de célèbre mémoire n'avait qu'un seul traitement pour toutes les maladies. En premier lieu, il faisait régulièrement la tournée au domicile de ses malades. À la suite de l'examen du patient, il gossait un bout de branche qui ressemblait à une racine de belle angélique, que les gens appelaient vulgairement une «crotte de chien». Le savant médecin ébouillantait les éclisses prélevées sur le bâtonnet fourchu et il faisait avaler cette tisane d'une extraordinaire efficacité à la personne souffrante. Le médicament avait un effet miraculeux, c'était un remède qui avait de la vartu*, disaient les gens avec conviction.

Bien sûr, la mission de ce bon docteur ne se limitait pas exclusivement à la pratique de sa science. Il pourvoyait aussi aux soins indispensables que devaient recevoir de pauvres êtres démunis et plongés dans la misère noire. Cet homme charitable allait lui-même quérir les services de Marie-Épiphane, une de ces bonnes «vieilles filles»: «Greye* ton pochon*, Marie, un tel est ben mal pris, il a absolument besoin de toé.» La chère Marie préparait en vitesse son baluchon pour aller secourir les malheureux. Elle demeurait aux services des miséreux, bénévolement, aussi longtemps que son assistance était requise.

La grande mission du médecin de campagne était de mettre les enfants au monde et d'exercer la médecine générale. Jour et nuit, beau temps, mauvais temps, sans consultation médicale antérieure, sans avoir été averti que ses services professionnels seraient réclamés, le docteur devait être disponible en tout temps. « Docteur, vite, ma femme va acheter. » Le bon médecin n'apportait jamais d'objections à l'ordre précipité. Il empoignait sa trousse et s'embarquait en bogheis* ou en carriole, selon la saison, en empruntant des chemins souvent hasardeux. Dans les cas urgents, on se relayait en cours de route : un voisin allait vers la mi-chemin à la rencontre de la première voiture. Au point de rencontre, le docteur changeait de voiture pour être conduit au grand galop. Vu les difficultés de déplacement, le médecin demeurait auprès de la mère tant que son état l'exigeait, qu'importe si les nuits blanches se succédaient. Parfois, la responsabilité de la vie de ses patients pesait lourd sur les épaules de cet homme qui devait combattre la souffrance de toute la force de son âme, en dépit de l'isolement du village.

Quel médecin n'a pas vécu des aventures héroïques, ou du moins cocasses, dans la pratique de sa profession ? Une fois, entre autres, alors qu'il faisait mauvais temps, le docteur dut se rendre auprès d'une jeune femme pour un accouchement. Une de ces tempêtes qui font disparaître les chemins et les clôtures fai-

sait rage. Le bon docteur, toujours là quand on avait besoin de lui, se hasarda dans un brouillard de neige épouvantable pour accompagner un brave colon. À un moment donné, la voiture versa et, dans le chavirement, les menoires cassèrent, laissant le cheval en liberté. Celui-ci s'échappa et fut retrouvé plus tard à la porte de l'écurie. Les deux hommes, désorientés, ne pouvant plus avancer, demeurèrent à l'abri sous la carriole retournée à l'envers. Heureusement, cette mésaventure n'a pas tourné au tragique puisqu'une sage-femme aida la mère à accoucher. À la faveur d'une accalmie, les hommes furent retrouvés sains et saufs sous la « tente » providentielle.

À la saison de la fonte des neiges, des inondations minaient souvent le bord des chemins. Alors, il fallait emprunter des raccourcis tant que la criée* à la porte de l'église ne donnait pas l'ordre d'ouvrir les routes à la charrette.

Un jour, à cette époque de l'année, et par grand froid, le docteur dut se rendre au chevet d'un patient. Le conducteur, debout, se penchait tantôt à gauche, tantôt à droite, pour maintenir l'équilibre de la carriole. Celle-ci gambadait et heurtait durement les cahots qui se répétaient comme des grains de chapelet. À un moment donné, il fallut traverser un cours d'eau qui était sorti de son lit. Lorsque, sans crier gare, un patin de la voiture tomba dans un trou, la carriole versa et projeta ses passagers à plat ventre dans l'eau. Le docteur, tenant sa trousse d'une main et son casque de l'autre, se releva difficilement de cette position fâcheuse. Mouillé jusqu'aux os, il fit le reste du trajet à pied, alors que le froid, qui cristallisait ses vêtements, entravait de plus en plus la marche. Rendu à destination, il déposa dans un coin son capot de chat glacé et devenu rigide comme une armure. Cet incident n'a pas pour autant diminué son énergie. Il a accompli son travail avec sa minutie habituelle. Et pendant la durée de l'accouchement, le manteau n'a pas eu le temps de dégeler. Il est vrai que la température de la maison ne favorisait pas un rapide dégel.

Voilà avec quelle disponibilité le médecin de campagne a marqué notre histoire.

Un de ces médecins, sublime de dévouement, dépensa son énergie au-delà de sa capacité physique. Alors qu'il était alité, le médecin reconnut la voix de «Ti-Jos-la-Patte» : «C'est pour ma femme, vous comprenez, madame, elle a manqué mourir l'année passée, il faut que le docteur vienne.» Sans tenir compte de son état de faiblesse, le docteur répondit de son lit : «Donne-moi mon capot, il faut que j'aille.» Malheureusement, l'épuisement avait fait son œuvre, et de fait, sa volonté est demeurée encagée dans son corps inerte.

Après une courte maladie, la chandelle, brûlée par les deux bouts, s'est éteinte calmement. Une vie qui a fait honneur à ses obligations venait d'être couronnée de gloire : «Astheure que le docteur est mort, cosse qu'on va faire?» «Quand il arrivait dans une maison, on avait assez confiance, qu'il pouvait ressusciter les morts.» Au service funèbre, les commentaires fusaient de toutes parts. Malgré la tempête, jamais on n'avait vu tant de monde à des funérailles. Y a-t-il un témoignage plus éloquent que cette assemblée d'hommes, de femmes, de vieillards, conscients du malheur qui les frappait, manifestant en union leurs regrets et leurs profondes douleurs?

Durant ces temps héroïques, le médecin devait faire, dans certains cas, le service spirituel tel qu'ondoyer les nouveau-nés en danger de mort, ou réciter avec les parents les prières au chevet d'un patient agonisant. Il apportait aussi son assistance comme homme de loi auprès de cette population dont la plupart était illettrée. Notre pays est fondé sur un trésor de dévouement, d'abnégation et de sagesse. Puisse notre génération s'inspirer de ceux qui, autrefois, ont été fidèles aux principes de la dignité morale.

« Vite, docteur, ma femme va acheter. »

Les enfants s'habillent à la hâte sur l'ordre du père et ils se réfugient chez un parent ou un voisin. Puis le père attelle le cheval, avertit la sage-femme en passant et va, «à la belle épouvante», chercher le médecin.

Bernadette

Être l'aînée d'une famille nombreuse entraînait souvent plus de responsabilités que d'agréments. Celle que le sort avait désignée première-née était initiée très jeune à seconder la mère dans les travaux domestiques.

Une pauvre épouse, dépourvue du nécessaire, éprouvée par le deuil de trois de ses enfants, affaiblie et déprimée par la maladie et l'angoisse, ne peut absolument pas procurer les soins indispensables à sa famille. Pour cette raison, Bernadette, l'aînée, encore très jeune, s'habitue à rendre service. Et peu à peu, la responsabilité presque totale de la maisonnée retombe sur ses épaules. Pour cette raison, son entrée à l'école est retardée d'un an, et, par la suite, les absences sont fréquentes. Sa sœur plus jeune et les autres écoliers du rang la devancent bientôt dans les progrès scolaires. Bernadette ressent une gêne bien dissimulée de cet état d'infériorité.

Chaque année, vers le mois de mai, tous les enfants âgés de dix ans, quel que soit leur degré d'instruction, « marchaient au catéchisme ». Ce stage de cours intensifs en religion, dispensé par le curé ou le vicaire de la paroisse, durait environ un mois. « Marcher au catéchisme » était une étape importante dont on se souvenait toute sa vie. Durant cette période, les enfants des rangs logeaient chez des parents résidant au village ou chez les religieuses du couvent. C'est à ce dernier endroit que Bernadette fut placée par son père, qui ne se doutait aucunement de la souffrance morale que subirait sa jeune fille. Elle est la seule à ne pas être revêtue du costume réglementaire. La gêne, l'ennui, l'ignorance la rendent gauche et maladroite. Le ridicule de sa situation et le mépris de son entourage l'humilient profondément. La communion solennelle clôturait l'enseignement des principes religieux que chaque chrétien devait vivre tous les jours de sa vie. Pour Bernadette, cette solennité couronnait en même temps des études élémentaires limitées. Maintenant, ses services de tous les instants seraient requis à la maison.

De plus en plus malade, la mère est transportée à l'hôpital, où elle décède peu de temps après son arrivée. Le train ramène le cercueil et le dépose à la gare, située à douze milles de distance. Les chemins impraticables du printemps rendent impossible le passage du corbillard sur un parcours aussi pénible. Le corps est donc exposé chez sa sœur qui demeure près de la gare. Pour comble de malheur, Bernadette contracte la variole et est isolée dans une chambre, d'où elle ne peut sortir, pour éviter la contagion. Pour la circonstance, tante Julie rend les services de gardienne et prend soin de la jeune enfant. Cette tante, aux manières brusques, peu sensible à la douleur de Bernadette, ne procure à l'orpheline que les soins strictement essentiels.

Au retour des funérailles, ses sœurs sont habillées de vêtements de deuil par la parenté, puis chacun, quoique bien attristé, reprend ses habitudes de vie. Cependant, en raison de son entraînement au service des autres, Bernadette est confinée à la maison, habitée par l'ennui de celle dont la présence la sécurisait. De plus, la pauvre enfant souffre beaucoup de n'avoir pu revoir sa mère une dernière fois. Encore convalescente et seulement âgée de treize ans, elle continue de prodiguer fidèlement et gratuitement les soins qu'on s'est habitué à recevoir sans que personne ne pense à partager ou à soulager la tâche ingrate du service quotidien que le destin lui a confié.

Ses sœurs, évidemment plus jeunes, poursuivent des études jusqu'à l'obtention d'un diplôme leur permettant d'enseigner. Bientôt, les cadettes, instruites et fières, rempliront les fonctions d'éducatrices. Avec leur salaire, elles achèteront de jolies toilettes et se permettront d'autres dépenses personnelles telles que bijoux, articles ajoutés au trousseau, etc. À leur retour au foyer, chaque soir ou chaque se-maine selon la distance entre l'école et la maison familiale, Bernadette doit faire la lessive pour les demoiselles institutrices. Elle doit aussi préparer les repas, accueillir les invités, sans jamais recevoir la moindre reconnaissance, un compliment, une aide, une compensation quelconque. Le manque de clairvoyance du père est la cause de cette absence de partage des tâches entre les enfants. Cette situation contrastante de dévouement et d'indépendance n'est pas perçue par le père. Pour lui, son aînée est heureuse puisqu'elle ne manque de rien. Pauvre homme! Il ne voit pas la différence entre le manteau usé et défraîchi de Bernadette, et les mêmes vêtements élégants et neufs des cadettes.

Bernadette désire se perfectionner dans l'art de la couture. Des démarches sont entreprises en vue de son admission à un stage de formation dans ce domaine. Espérant la réalisation du projet qui lui est cher, elle attendra les vacances d'été. Pendant cette période, elle peut compter sur l'aide de ses sœurs institutrices pour prendre la relève dans les travaux domestiques. Ainsi, elle espère obtenir la permission de son père pour s'absenter temporairement en vue d'exceller dans ce métier, le seul possible pour elle. «Qu'est-ce que tu as besoin de ça, la couture?», répondra-t-il d'un ton bourru. Voilà, c'en est fait du projet tant caressé! Le cœur bien gros, déçue, frustrée, elle continuera de remplir son rôle de subalterne. Sa sœur, libre et indépendante, suivra les cours à sa place. En effet, l'absence de cette dernière ne dérangera pas le paternel. C'est ce qui compte.

Le père est un politicien. À cette époque, le titre d'organisateur de campagne obligeait celui qui en assumait la responsabilité à se présenter à plusieurs assemblées, caucus, réunions. Cette fonction supposait aussi la tenue de réceptions à la maison. Cet homme engagé dans la politique prenait plaisir à inviter à sa table ses nombreux amis. Pour lui, servir des repas, c'était ajouter quelques assiettes. Il ne se doutait aucunement des nuits blanches de sa fille et de l'inquiétude causée par le fait de recevoir des «messieurs importants». Cette inquiétude provoquait chez Bernadette des cauchemars et souvent bien des larmes dans la nuit. Cependant, son courage et son savoir-faire rempliront les assiettes des convives. Ceux-ci, rassasiés et satisfaits, sont si reconnaissants qu'ils promettent de revenir, et effectivement, ils tiennent souvent leur promesse.

Chaque matin, Bernadette est la première levée. La crainte de «passer tout droit» la tient longtemps en éveil. À l'heure exacte, l'allumage du poêle avec des copeaux, que la prévoyante jeune fille a préparés la veille, préside le début matinal d'un autre jour. La levée des hommes est languissante; si le père est fatigué par ses activités politiques, lesquelles lui ont peut-être enlevé une partie de la nuit, le sommeil doit se prolonger. Le grand frère, qui se fie à l'indifférence de l'autorité, se croit légitimement autorisé, lui aussi, de retarder «la levée du corps». Inutile d'insister, Bernadette sait bien qu'une seule solution réglera le problème engendré par cette situation; elle ira elle-même chercher les vaches au pacage, peu importe le temps: pluie, rosée, froid, gelée. Peut-être devra-t-elle aussi traire les vaches. De plus, il faut que le lait soit prêt lors du passage de la voiture qui transportera la canistre* à la fromagerie.

Si la jeune fille se plaint à son père du manque de collaboration de son frère, le paternel répondra: «Laisse-le faire, il paiera ça un jour.» Ce jugement, prononcé en l'absence de l'intéressé, n'apportait aucune amélioration à l'ardeur fraternelle. Par contre, le règlement du différend par cette sentence verbale n'exigeait pas trop d'effort de notre homme. Bernadette, incomprise mais non abattue, peinée mais non révoltée, continuera silencieusement l'accomplissement de la tâche du «demain comme aujourd'hui». Cependant, malgré les déceptions courantes, «la plus vieille» est resplendissante de sérénité parce qu'elle a la satisfaction de remplir généreusement la tâche de mère suppléante.

L'œuvre méritoire de cette orpheline est un modèle qu'ont dû suivre de nombreuses aînées. Ces futures mères étaient éduquées à l'amour du devoir, du partage et de la souplesse. Tant de sacrifices et de renoncements ne peuvent être inféconds et oubliés! Que la noblesse et la grandeur suprême qui faisaient planer l'âme de nos grand-mères au-dessus du terre-à-terre continuent à rejaillir tout en s'adaptant au contexte de notre génération.

À nos grand-mères et mères: hommage, reconnaissance, souvenir.

Éric

Jadis, les familles nombreuses vivaient uniquement de la terre. Avec les années, la forêt reculait toujours afin de faire place à de nouvelles concessions. Cependant, l'espace cultivable d'une région, de préférence attenant aux rives du fleuve, finissait tôt ou tard par être complètement exploité. Dès lors, il fallait envisager l'émigration à la ville, aux États-Unis ou dans les nouvelles terres de défrichement.

Éric, l'aîné d'une famille de neuf enfants, dont sept garçons, aimait trop la terre pour l'abandonner. À l'été, il abattait les durs travaux : foins, récoltes et battage. Courageusement, il aidait son père. En raison de sa préséance sur le bien paternel, ses frères, ayant atteint au fur et à mesure la fleur de l'âge, partaient se préparer un avenir en devenant apprenti forgeron ou apprenti menuisier. À cette époque, la main-d'œuvre spécialisée était de plus en plus recherchée pour la construction du chemin de fer du Canadien Pacifique et pour le développement de la grande ville.

Après les labours, Éric offrait ses services au port de Montréal. À cette époque de l'année, il y avait un surplus de travail parce que les premières glaces bloquaient toute la navigation sur le fleuve. Durant deux mois, il trimait douze heures par jour au déchargement des marchandises. Heureux et riche de presque la totalité de son salaire, il avait hâte de revenir à la maison. Avant son retour, notre débardeur s'était toutefois permis une dépense frivole en s'achetant un chapeau melon. Sur le perron de l'église, il se promettait d'épater celle qui hantait sa pensée.

Au retour, vis-à-vis de la terre paternelle, le train devait ralentir pour franchir une courbe prononcée. Debout dans les marches du wagon, Éric vit la maison ; il pensa à la gare, qui était située à trois milles de là. Revenir à pied retarderait les retrouvailles. Prenant une décision rapide, il s'élança dans les airs, prévoyant retomber sur ses pieds. Hélas ! la vitesse le trompa. Sa tête toucha le sol en premier lieu et le chapeau « dur » perdit sa forme. Le corps endolori, et boitant quelque peu, Éric, malgré cet incident, se retrempa joyeusement dans l'ambiance familiale. Le contenu au complet de sa paye fut déposé dans le tablier de sa mère. Ainsi, pendant quelques années, ce fils généreux apporta une contribution financière au foyer en plus de participer aux gros travaux de la ferme. Cependant, la mésaventure de la descente précipitée du train ne s'est pas répétée.

Pour aider sa famille, Éric décida d'acheter une batteuse, une machine pour battre le grain, qu'il comptait aussi louer à d'autres agriculteurs, moyennant rémunération. La manipulation de cette machine requérait tout de même un effort ardu dans la poussière. Néanmoins, notre homme courageux engrenait les gerbes du matin au soir. Un jour, sa mitaine fut happée par les griffes qui agrippent les gerbes. La main et une partie du bras y passèrent. À ses cris, les hommes bloquèrent la roue de commande actionnée par un cheval. Avec difficulté, on retira un membre déchiqueté, saignant abondamment. Le médecin dut se résigner à l'amputation. Sur la table de la cuisine, sans anesthésie, quatre hommes tinrent en place ce géant qui se recroquevillait sous la douleur atroce de la scie. Afin d'éliminer toutes complications, le bras fut amputé au-dessus du coude, sans tenir compte de l'imploration de son épouse et de sa mère qui avaient supplié le docteur de tenter l'impossible pour conserver une partie de l'avant-bras à ce jeune marié de quelques mois.

Une colonisation de terres fertiles attirait toujours nombre de jeunes ménages. Cette occasion représentait souvent la seule solution pour un jeune couple qui, voyant se limiter le nombre de fermes disponibles dans son milieu, devait envisager une transplantation dans une nouvelle contrée. Éric, doué d'un courage héroïque, décida d'imiter ces pionniers et de défricher sa propre terre. Avec sa jeune épouse, il prit le train en direction du Lac-Saint-Jean. À peine arrivé, il commença le défrichement puis, au milieu des souches, il construisit d'abord un camp rudimentaire avec son seul bras. Pour Éric, les inconvénients et handicaps importaient peu. Ce qui primait, c'était l'enthousiasme que suscitait l'avenir prometteur de son domaine. Désormais, sous un toit modeste, meublé d'un ménage rustique, Éric et Alexina pouvaient rêver d'une vie heureuse, grâce à leur amour, leur confiance et leur travail.

Les premières années furent très difficiles. La coupe des arbres se faisait à la hache et l'essouchement à l'aide d'un bœuf ou d'un cheval. Les gelées trop hâtives ne permettaient pas la maturation des céréales et des légumes. L'absence du nécessaire, l'éloignement et la maladie contribuèrent à amplifier la misère. Pour se procurer un peu d'aisance, notre héros faisait du transport la nuit en suivant un parcours de onze lieues. À destination, la voiture était chargée de marchandises qui étaient livrées aux magasins. Éric marchait la distance à pied dans des chemins difficiles pour permettre le surplus d'une charge telle une poche de fleur* qui lui rapportait dix cents. Dans les côtes, il soulageait son cheval en appuyant de tout son poids sur les rais d'une roue.

Au moment où il avait réussi à assurer un certain confort et un peu de bien-être à sa famille, son épouse le quitta pour un monde meilleur, le laissant avec sept orphelins. Profondément religieux, cet homme sublime de

La colonisation

Les jeunes gens, voyant se limiter le nombre des fermes disponibles, se transplantent en plein bois pour défricher leur propre terre. La coupe des arbres se fait à la hache et l'essouchement à l'aide d'un bœuf ou d'un cheval. Après la constructon d'une maison et d'une étable, la famille heureuse partira, apportant un ménage rudimentaire, sa confiance et sa vaillance.

dévouement puisa dans sa foi l'acceptation de l'épreuve. Ses enfants furent élevés dans l'amour de Dieu et du travail. Le lot boisé présenta bientôt une grande étendue de terre fertile, des bâtisses solides, un troupeau nombreux.

Doué d'une générosité illimitée, au détriment de la prévoyance, il établit ses enfants sur de belles fermes fertiles, voulant ainsi leur épargner la misère du défrichement. Malheureusement, des circonstances imprévues entraînèrent la perte de toutes les acquisitions jusqu'à la ruine totale.

Résigné mais non découragé, Éric se transplanta à quelques milles en pleine forêt, et bien qu'âgé et manchot, notre bûcheron recommença le défrichement d'un autre lot. « Bâtasse, disait-il, quand on prie le bon Dieu, on est heureux. Vois-tu, j'ai perdu ma terre, puis le bon Dieu m'a donné la santé pour m'en faire une autre. »

Quelque temps avant de mourir, ce vieillard méritoire amena une jeune nièce visiter la terre de sa vie, qu'il avait faite avec amour et honneur et que la fatalité lui avait enlevée sans égard ni pitié. D'un geste du bras, il indiqua à la jeune femme la superficie de grands champs défrichés à la sueur de son front. Puis il pénétra dans la maison construite par son unique main. Dans l'encadrement de la chambre, deux larmes voilèrent des yeux qui semblaient percer l'au-delà. La jeune fille comprit la profondeur d'une douleur muette. Cette grandeur d'âme, cette force dans la résignation, nos ancêtres pouvaient-ils les puiser ailleurs que dans l'espérance de la vie éternelle ?

Pauvre Délina

*L'*avancement de la cause des femmes est un phénomène encore assez récent dans notre société. Autrefois, les femmes n'étaient pas aussi libres, entre autres sur le plan financier, parce que les emplois professionnels étaient offerts presque exclusivement aux hommes. Il y avait bien quelques ouvertures pour les infirmières et les institutrices, mais ces rares privilégiées devaient mener une vie exemplaire et posséder une compétence sans failles en échange d'une rémunération minimale.

Il n'y a pas si longtemps encore, les jeunes filles étaient éduquées dans le but de fonder un foyer. Le célibat était donc un état plus souvent subi que choisi.

Délina, l'aînée d'une famille de dix enfants, n'avait pas d'instruction. Étant trop éloignés de l'école du rang, les parents, par sollicitude sans doute, avaient envoyé l'enfant à la classe aux beaux jours de mai et de juin d'une seule année scolaire. Cependant, les autres enfants de la famille purent fréquenter cette même école. C'est que la présence de l'aînée était indispensable à la maison. Pour se disculper, les parents alléguaient l'argument suivant: «On n'a pas besoin de savoir si bien lire pour élever des enfants.»

Le sort a voulu que la venue de l'aînée soit suivie de la naissance de trois garçons. Par la suite, les parents auront six autres filles. Les éléments nécessaires, tant dans le domaine vestimentaire qu'alimentaire, puisés uniquement dans les produits de la terre, augmentaient ainsi de plus en plus. D'autre part, les perspectives d'avenir des garçons dépendaient beaucoup des parents et de la partition du domaine familial. C'est pourquoi tous les efforts de la famille convergeaient vers ce but.

L'ouverture d'une autre paroisse dans les terres répondit bien à l'ambition des parents à cet égard. Adolphe et Elzéar devinrent propriétaires de lots en bois debout*. Et toute la maisonnée apporta sa contribution. Délina, première levée, préparait les victuailles pour ses frères. Si elle avait oublié quelque chose, les frères, en arrivant, ne manquaient pas de le lui rappeler. Puis on causait des gros travaux abattus sans faire la moindre allusion à la bonne marche de la ferme paternelle, administrée principalement par les femmes. Lorsque les jeunes colons coupaient la récolte à la faucille, allumaient des feux d'abattis ou faisaient d'autres travaux qui exigeaient de la main-d'œuvre supplémentaire, ils n'hésitaient pas à recourir aux services des femmes, qui avaient été habituées à collaborer gratuitement.

Ce sont les mains habiles de Délina qui prépareront le repas de noces d'une jeune sœur. Celle-ci apportera comme trousseau les plus belles pièces de toile et de laine façonnées en famille au cours de l'hiver pour le « coffre d'espérance ». L'aînée a vu ainsi se détacher du nid familial, l'une après l'autre, chacune de ses sœurs pour fonder son propre foyer. Chaque départ faisait souffrir Délina, mais son visage serein ne trahissait pas ses sentiments. Le dévouement est le meilleur médicament pour guérir les déceptions. Et du dévouement, Délina en témoignera toute sa vie et plus particulièrement lorsqu'il s'agira de soigner ses parents malades.

Un jour, voyant ainsi deux de ses fils en mesure de vivre sur leur nouvelle terre, le père décida de céder par acte de donation le bien paternel à son troisième fils, moyennant certaines charges et réserves. À savoir, le droit à la nourriture, au logement, aux soins médicaux ou une rente annuelle de deux cents dollars si les parents décident de résider ailleurs. Cette pension diminue de moitié au décès de l'un ou l'autre des parents. Délina est « attachée sur le bien » sa « vie durant ». Cependant, elle devra travailler selon ses forces et capacités. Pour elle, il n'est aucunement question de la jouissance de pension ou de rente pour les services rendus.

La vieille fille voûtée par le dur travail d'une longue servitude, portant des vêtements usés ou défraîchis, continue de surveiller l'heure du réveil, d'être prévenante afin d'apaiser les petites frustrations entre les vieux et la jeune bru. Par diplomatie, elle feindra la surdité pour parer aux sautes d'humeur de la belle-sœur. Combien de nuits blanches la vieille tante a-t-elle passées à bercer et à soigner un enfant malade ? Depuis toujours, la bonne sentinelle est entraînée à dormir sur « les épines » pour se lever au premier cri ou pleur afin de calmer le petit pour protéger le sommeil des autres.

Tout en vaquant aux travaux journaliers d'entretien, la bonne fille fermera les yeux de ses parents qu'elle a consolés et soignés jour et nuit. Avec Délina, les vieux n'ont pas connu les angoisses de la solitude. La vieille tante est toujours disponible pour « relever » ses sœurs après chaque nouvelle naissance. Un coup de main ici et là pour des services de garderie ou de corvée soulage l'un ou l'autre de la famille. On se la dispute même. Tantôt, on verra se dessiner, dans la pénombre près d'une petite lampe, une personne âgée qui tricote en faisant des signes d'affirmation. Délina s'est mise à la fabrication d'un vêtement.

Depuis quelques jours, on s'aperçoit que Délina vieillit. On lui reproche des oublis. Ses mains affaiblies font des gaucheries qui impatientent les jeunes. Angoissée, souffrante, seule parmi les siens, la mourante semble se détacher de toutes ses préoccupations et de ses responsabilités. Une sérénité mystérieuse éclaire son visage. On meurt de la façon dont on a vécu... Calme et résignée, Délina rend l'âme entourée de ceux qui furent son univers, laissant en héritage les œuvres de toute une vie : un trésor de sacrifices, de dévouement et de charité. On se souviendra de tante Délina comme d'une bonne vieille fille souriante et serviable.

La tombe gardera les secrets de cette âme généreuse. Personne ne se sent coupable des impertinences, des taquineries déplacées, de l'ingratitude envers cette victime du destin. Les grandes douleurs sont muettes.

La terre

La terre, c'était l'ambition, l'avenir, la vie. La culture de la terre s'apprenait dès le jeune âge et se transmettait de père en fils. D'abord, le jeune garçon doit non seulement aider son père dans les travaux de la ferme, mais il secondera aussi sa mère quand des circonstances particulières obligeront le mari à s'absenter pour travailler dans les chantiers ou à la sucrerie*. Vers l'âge de treize ans, l'enfant se mettra au service d'un cultivateur âgé ou malade afin de l'aider à l'époque des foins, des récoltes, des labours ou autres durs travaux pour un salaire de dix cents la journée, du levant au couchant du soleil.

Plus tard, lorsque le jeune homme possédera sa propre terre, il aura acquis d'expérience toutes les connaissances pour faire produire sa terre. Peut-être sera-t-il illettré, mais il sera maître dans l'art de la culture. Dans son humilité, l'amour de la terre lui suffit pour accomplir une œuvre de dur labeur, remplie d'exigences et de renonciations, mais compensée par la satisfaction, la paix et l'honneur.

Les semences

Au printemps, dès que la terre est sèche, c'est le temps des semences. Celui qui a arraché sa terre à la forêt en connaît les moindres recoins. Il la possède dans sa tête, dans son cœur et dans ses bras. Il connaît ses besoins ; il exécutera donc les travaux appropriés. Un sol dur est labouré à l'automne pour que la gelée le rende moins compact. Au printemps, la charrue retourne la terre devenue légère et sablonneuse sous l'effet de la fonte des neiges et de l'engrais naturel (le fumier) déposé là en hiver.

Avant de semer, le cultivateur attelle son cheval ou son bœuf à une herse à manchons ayant plusieurs rangées de dents de bois. Avec cet instrument, il parcourt toute l'étendue du champ, dans les deux sens, afin de briser les sillons et d'égaliser la terre. Cependant, il ne hersera que la partie qui sera ensemencée la journée même. Ce travail exécuté, il procédera à la semence de l'avoine. Sous le bras gauche, le semeur presse sur lui un sac de grains dont le fond est attaché par une corde qu'il passe

Les semences

Au printemps, dès que la terre est sèche, c'est le temps des semences. Sous le bras gauche, le semeur presse sur lui un sac de grains dont le fond est attaché par une corde qu'il passe par-dessus la tête. De sa main gauche, il maintient l'ouverture de la poche alors que de sa main droite, il puise une poignée de grains qu'il fait voler en demi-cercles.

par-dessus la tête. Ainsi suspendu à son cou, le fardeau est moins pénible. De sa main gauche, il maintient l'ouverture de la poche alors que de sa main droite, il puise une poignée de grains qu'il fait voler en demi-cercles.

De nouveau, le champ sera hersé pour enterrer l'avoine. Une fois les grains enterrés, on procède à l'égouttement du terrain en creusant à la pelle les raies et les rigoles. Ce travail doit être terminé vers seize heures afin de semer les petites graines de mil* et de trèfle avant la fin du jour.

Les minuscules graines de mil et de trèfle s'épandent par pincées lancées en demi-cercles. Le mélange de ces graines est contenu ordinairement dans un plat de cuisine. Or, cette dernière semence étant achetée, il faut autant que possible répartir parcimonieusement la quantité nécessaire à la grandeur du champ de pâturage. La farinière du grenier recevra le précieux reste pour le printemps suivant. Le serein suffira pour enterrer cette légère semence.

Le lendemain, on ensemence une autre partie de terre labourée. Selon le temps, les travaux de préparation à la récolte requièrent de deux à trois semaines de travail.

Les foins

Les foins, comme les semences, se font peu à peu, champ par champ, par petites quantités à la fois. De bonne heure le matin, les tiges de mil et de trèfle tombent sous la faux. De temps en temps, notre faucheur s'immobilise près de la clôture à l'endroit où est déposée la pierre à aiguiser. S'il n'y a pas d'eau pour mouiller l'aiguisoir, un crachat fera l'affaire. Quelques coups de pierre dans les deux sens suffisent pour affûter l'instrument. Le foin tombe de nouveau à un rythme régulier jusqu'à la disparition totale des tiges. Couché sur le sol, le foin séchera au soleil pour le reste de la journée.

Le lendemain, s'il n'a pas plu, le foin est retourné avec une fourche à longues dents de bois afin d'assurer un séchage uniforme. Le fanage est fait ordinairement par la mère et les enfants. Ensuite, avec des râteaux de bois, on ramasse en bottes cette herbe fauchée et bien séchée. Des bras puissants chargent les tas dans la charrette, puis un ou deux enfants foulent le foin en marchant d'une échelette à l'autre. La voiture remplie à pleine perche* est conduite à la grange. Pour décharger la charrette, il faut tirer à la fourche les bottes entremêlées jusqu'au fenil. Les jeunes transportent ce foin jusqu'au fond du fenil pour faciliter le rangement de la prochaine charge.

Chaque jour, s'il fait beau, ces activités se répètent afin d'engranger le fourrage nécessaire en vue de l'hiver. Plus tard, une faucheuse mécanique munie d'une faux de trois pieds, pouvant être tirée par un cheval ou un bœuf, travaillera lentement pour éviter toute perte.

Lorsqu'une épreuve frappait une famille (maladie ou perte du cheval), M. le curé permettait aux voisins de travailler le dimanche afin de participer à la récolte des foins de cette famille. Une veuve qui avait des enfants en bas âge et qui était dans le besoin pouvait aussi,

Les foins

De bonne heure le matin, les tiges de mil et de trèfle tombent sous la faux. Couché sur le sol, le foin séchera au soleil pour le reste de la journée.

avec l'autorisation du pasteur, recevoir de l'aide bénévole le jour du Seigneur, bien entendu après que les volontaires aient assisté à la messe dominicale.

Les récoltes

À peine les foins terminés, les champs d'avoine ont déjà pris une teinte dorée. Le javelier* couche les épis mûrs qu'on rassemble en petits tas de tiges. Les coups de faux sont d'une précision remarquable et les rangées d'avoine s'alignent régulièrement. De temps en temps, il faut rafraîchir la faux avec un peu d'eau, ce qui permet une pause avant la poursuite de ce dur exercice. Les femmes disponibles participent à la coupe des épis avec une faucille. Lorsque cette coupe est terminée, on laisse les épis exposés au soleil cinq à six jours dans les champs pour permettre aux grains de dorer et de sécher complètement afin d'assurer une parfaite conservation.

Alors que l'avoine est dorée et sèche à point, le râteau de bois entasse les tiges en javelles en prenant soin de placer les épis du même côté. Sous la javelle, on place une hart de coudre ou une hart rouge et, le genou appuyé sur le fagot, on attache l'avoine en gerbes. Des harts d'aulnes font aussi l'affaire pour attacher les javelles, mais elles ne durent qu'un an parce qu'une fois séchées les harts d'aulne cassent facilement. En revanche, ces harts sont ramassées et mises en réserve; trempées dans l'eau, elles reprennent leur souplesse et serviront au même usage pour les années à venir.

La charrette recueille les gerbes que l'on charge une à une avec précaution à l'aide d'une fourche afin que l'avoine bien mûre ne s'égrène pas sur-le-champ. À la grange, le déchargement se fait aussi à la fourche. Au début, c'est facile, mais à mesure que la tasserie* se remplit, c'est au bout des bras que les dernières seront lancées. L'épouse ou l'aîné égalise et foule la surface de la tasserie qui sera remplie jusqu'au faîte si la récolte est bonne.

Le battage

Bien à l'abri, l'avoine est battue au fléau, «à temps perdu», disaient les vieux. Le fléau se compose de deux bâtons réunis par une courroie; le plus fin et le plus long sert de manche, et l'autre de battoir. Ce travail se faisait habituellement après les labours et la coupe du bois de chauffage. Quelques gerbes déliées sont battues jusqu'à l'égrenage complet des épis. La paille, après avoir été secouée, est entassée et l'avoine est mise en sac et placée dans le grenier du hangar. Il faut une adresse acquise dès le jeune âge pour porter rapidement et avec précision les coups de bâton sur la tête des épis. Pour battre toute la récolte, il faut travailler dans la grange pendant quelques semaines, parfois par grand froid.

Le grain est séparé de la paille, mais il est mêlé à la balle. Pour l'en séparer, il faut le vanner. On met le grain dans un van*, un grand panier muni de deux anses et n'ayant pas de rebord sur le devant. En agitant le van en tous sens, la balle et les brins de paille, parties plus légères que le grain, remontent au-dessus et,

La batteuse

La fabrication des premiers moulins à battre améliorera les méthodes primitives du battage au fléau.

Thérèse
S-1985

soulevés par le courant d'air créé par le mouvement du van, ils tombent au sol, laissant dans le van les grains d'avoine.

Plus tard, lorsque les premiers moulins à battre* font leur apparition, trois ou quatre voisins en achètent un en copropriété. Ils forment alors une coopérative non seulement pour partager le coût d'achat, mais aussi pour organiser la main-d'œuvre. Il faut planifier le travail de plusieurs hommes: donner les gerbes, les faire passer dans la batteuse, empocher l'avoine, entasser et séparer la paille et la balle, etc. Cette machine, qui fait le battage et le vannage, est actionnée par une trépigneuse communément appelée hospor*, déformation des mots anglais «horse power». C'est un plan incliné qu'un cheval fait tourner en marchant, ce qui met en action le système d'engrenage commandant le moulin. À l'aide de ce système, la tasserie sera «avalée» en quelques jours.

Une autre amélioration changera plus tard les méthodes primitives. Plusieurs cultivateurs utiliseront les services d'une batteuse qu'on transporte d'une grange à l'autre, moyennant une somme de deux dollars par jour. Ce montant comprend l'usage de la batteuse, le salaire de deux hommes et le travail de deux chevaux, l'un pour actionner le hospor, l'autre pour fouler la paille. Le temps du transport est gratuit.

On met en réserve une partie de cette récolte d'avoine en prévision de la semence pour le printemps prochain. Une autre partie sera moulue pour l'alimentation des animaux, et enfin, une bonne provision sera gardée sous forme de grains pour nourrir les chevaux. Ces bêtes de somme sont indispensables dans presque tous les travaux de la ferme et facilitent les déplacements de toute la famille. Il faut donc bien les nourrir.

Le moulin à farine

Après le battage du grain, le moulin à farine bourdonnait d'activité. Au petit jour, le meunier devait ouvrir l'empellement (panneau mobile qu'on lève ou qu'on abaisse dans la dalle ou le barrage au moyen d'une gaffe ou d'un levier, et qui sert à ajuster l'écoulement de l'eau pour mettre en marche le moulin ou pour l'arrêter). Le moulin était mis en marche et le meunier accueillait la nouvelle récolte de grains qui seraient broyés en moulée pour engraisser les porcs avant les boucheries*, ou qui seraient transformés en farine de blé pour pétrir le pain, en farine de sarrasin, pour en faire des galettes.

Avant de vider la poche de grains dans la trémie, le meunier versait dans son baril une certaine quantité de grains en guise de rémunération. Évidemment, lorsque le sac de grains contenait plus de deux minots, la mesure était nécessairement comblée.

Jusqu'à très tard le soir pendant la saison des moissons, à la lueur d'un fanal, notre homme, enfariné, pouvait moudre de huit à vingt minots à l'heure, selon la sorte de grain, son état, la finesse de la farine, l'affûtage des meules et l'état du moulin. Au besoin, pendant la saison «forte», les meules broyaient toute la nuit. De temps en temps, lorsque la

Le moulin à farine

Autrefois, le moulin à farine était l'âme de la paroisse. Maintenant, il n'a plus qu'une valeur historique.

Thérèse
S-1986

trémie était comble, le meunier en profitait pour piquer un petit somme les pieds sur la bavette du poêle*. « Meunier, tu dors... »

Parce qu'il recevait souvent son salaire en matière première, le meunier, par la force des choses, devenait marchand de grains et de moulée. Sa clientèle était surtout composée des rentiers du village qui gardaient pour leurs besoins quelques porcs, quelques poules et parfois même une vache laitière.

Autrefois, le moulin à farine était l'âme de la paroissse. Maintenant, il n'a plus qu'une valeur historique.

La corvée

Un boisé d'épinettes* s'abat sous la hache du fermier. Aux premières neiges, les troncs des arbres sont charroyés à la maison et sont empilés. Lorsque la rivière se gonfle au printemps, l'eau actionne le moulin à scie*. Le moment est venu de transporter les billes à la scierie pour qu'elles soient transformées en bois de charpente.

Qu'il s'agisse d'une maison, d'une grange ou d'une dépendance à bâtir, il est important que tout le nécessaire se trouve sur les lieux de la construction avant le grand événement: la corvée. Au jour fixé, douze hommes, qui avaient d'abord reçu une invitation, s'amènent joyeusement, outils en main. Dans le groupe, le plus habile et le plus compétent dirigera les travaux. Le carré* se monte, les chevrons s'élèvent à la force des bras. Ce que la force de l'union peut réaliser!

De temps en temps, une collation est servie par les femmes. Le midi, un véritable banquet de noces est offert sur la longue table rustique du fournil. Chacun met son grain de sel; le conteur, le menteur, le complimenteur des dames s'exécutent à tour de rôle dans le rire et la bonne humeur. Les chicanes, les rancœurs sont pardonnées, oubliées... jusqu'aux prochaines élections.

Vers la fin de l'après-midi, la charpente du bâtiment est terminée. Il reste le clou de la corvée. Qui aura l'honneur de planter le mai? On discute des actes de bravoure accomplis par quelques membres, des titres honorifiques et autres, plusieurs noms sont proposés, mais à la fin il y a unanimité. Celui qui vient de « faire baptiser » aura l'honneur de planter le mai, tradition française qui nous vient d'Auvergne: planter le bouquet. Le jeune père monte jusqu'au faîte de la bâtisse pour y fixer un sapin orné de rubans et de fleurs.

Puis vient le temps des réjouissances. Chacun participe selon ses talents: une gigue au son d'une musique à bouche*, un chant, etc. L'œuvre est accomplie. Mais ce n'est qu'un échange. À qui profitera la prochaine corvée? Peut-être à celui qui aura le malheur de « passer au feu ».

Dans ce temps-là, il n'y avait pas d'autres recours que l'entraide collective pour « relever » un sinistré. Les assurances n'existaient pas. Lorsqu'une maison ou une étable, ou les deux, était incendiées, la famille paroissiale, au cours de la messe du dimanche, était invitée par le curé à secourir les affligés. Le pasteur permettait même aux paroissiens de travailler le jour du Seigneur pour les malheureux. De plus, une quête de porte en porte était organisée par des bénévoles pour recueillir du bois de construction, des vêtements, etc. Il va sans dire que la corvée ne s'achevait que lorsque la maison et l'étable étaient complètement reconstruites et fonctionnelles.

La compassion et le partage en faveur d'un membre affligé de la grande famille paroissiale éclipsaient les rancunes et les mesquineries. Les convictions politiques ne jouaient plus. Les corvées et l'entraide étaient des coutumes typiques de nos devanciers. Cette force dans l'union leur a permis de se dresser fièrement contre de pénibles obstacles.

La corvée

Pour élever la charpente d'une maison ou d'une grange, on faisait une corvée. Lorsque la bâtisse était montée, quelqu'un du groupe avait l'honneur de planter le mai. Et au moment de l'élévation du sapin traditionnel, tout le monde se réjouissait à sa manière.

Le bardeau de cèdre

Nos ancêtres se sont débrouillés habilement. Pour pallier le manque d'argent qui leur aurait permis de se procurer le nécessaire, ces fiers pionniers ont su tirer profit de l'abondance des matières premières et de la fécondité de la terre. Ils ont retroussé leurs manches et, la hache à la main, ils ont su exploiter la riche végétation de notre pays.

Parmi les nombreuses essences d'arbres d'Amérique du Nord, le cèdre sert à mille et un usages. Ce bois tendre et léger résiste admirablement aux intempéries. En tout temps et en toute saison, les clôtures et les toits de cèdre affrontent la pluie, la neige, le soleil.

À l'automne, avant la montée de la nouvelle sève, des cèdres tomberont sous la hache du cultivateur. Les bûches du bas du tronc, exemptes de nœuds, sont coupées à seize pouces de hauteur et rangées en attendant la transformation en bardeaux. Le reste du conifère est converti en pieux et en perches.

La vie sur la ferme est marquée par le rythme des saisons. Entre les travaux de l'été, on se réserve un certain temps pour la fabrication de bardeaux. À l'aide d'un départoir, les bûches de cèdre sont coupées en planchettes. Une à une, ces petites planches d'égale épaisseur sont amincies à un bout à l'aide d'une plane et d'un étau appelé « banc de chèvre ».

La main-d'œuvre disponible à la maison collaborait à la tâche. Quand les bardeaux sont prêts, un enfant les empile dans une boîte étalon, deux par deux, le bout aminci de l'un reposant sur le bout plus épais de l'autre, jusqu'à ce que vingt-deux rangées soient empilées. Le paquet étant complet, il est lié par une broche placée au préalable au fond de la boîte. Et voilà, les paquets de bardeaux s'entassent, c'est la rémunération familiale.

Jadis, tous les toits de maison, de grange et de hangar étaient couverts de bardeaux de cèdre. On entretenait soigneusement les bâtisses. Si une couverture se détériorait, on s'approvisionnait à même la réserve de bardeaux pour la rénovation.

Refaire le toit d'une grange peut être l'occasion d'un pique-nique familial. Si, par bonheur, les environs sont sillonnés par une rivière où abonde la truite, les réjouissances seront complètes.

Le bardeau de cèdre

Autrefois, tous les bâtiments étaient couverts de bardeaux. À l'automne, des cèdres tombent sous la hache du cultivateur. À l'aide d'un départoir, les bûches de cèdre exemptes de nœuds sont divisées en planchettes. Une à une, ces petites planches d'égale épaisseur sont amincies à un bout à l'aide d'une plane et d'un étau appelé « banc de chèvre ».

Le branle-bas commence la veille. On creuse des trous dans le jardin pour ramasser la provision de vers. Les paquets de bardeaux et tout le nécessaire pour la rénovation sont chargés dans la charrette. Il ne faut rien oublier! La mère prépare les provisions pour la journée. Que la nuit peut être longue quelquefois!

Enfin, au matin, tout ce beau monde monte dans la charrette et s'assoit au bord en se balançant les jambes, alors que la mère, avec le dernier-né, est assise sur une chaise empaillée*. En passant près d'un boisé, le père s'arrête pour couper quelques noisetiers afin de convertir les tiges en cannes à pêche flexibles.

En arrivant, chacun court à son plaisir ou à ses occupations. Jusqu'au cheval qui se met à son aise. Sans tarder, l'échafaudage est monté près de la vieille grange. La surface du toit qu'on pourra refaire au cours de la journée est découverte. Il s'agit de bien aligner la première rangée. Pour les suivantes, on superpose le bardeau en laissant dépasser quatre pouces de la surface des bardeaux de la rangée précédente. Les différentes largeurs de bardeaux permettent un meilleur ajustement. Ainsi, on monte jusqu'au faîte, que l'on chapeaute de deux planches, l'une un peu plus large que l'autre afin de recouvrir le point de jonction. Au terme des travaux, la vieille grange pourra protéger les tasseries durant un autre demi-siècle.

Le toit de bardeaux de cèdre

Après les semences ou les foins, le cultivateur rénovait la couverture qui s'était détériorée. S'il s'agissait d'une grange éloignée, on en profitait pour faire un pique-nique familial.

La digue

À l'entrée de Grondines, du côté ouest, le cap à la Roche, qui s'avance dans le fleuve, rétrécit sensiblement le chenal. Les navigateurs appréhendaient ce passage étroit et peu profond à cet endroit du fleuve. Aussi, les navires de fort tonnage attendaient la marée haute avant de s'aventurer dans cette gorge. Heureusement, le passage a été élargi par la suite à coup de dynamite.

Autrefois, cet accident géographique causait non seulement un cauchemar aux pilotes mais aussi aux gens qui habitaient les rives près de cet endroit, car l'étroitesse du chenal provoquait un amoncellement de glaçons lors du dégel printanier. Le barrage produisait une inondation des terres qui endommageait quelque peu les clôtures ; en revanche, le retrait des eaux laissait un engrais qui fertilisait le terrain.

Jusque-là, ce gonflement subit des eaux n'avait pas causé trop de dommage. Cependant, en 1885, le froid très rigoureux de l'hiver a eu pour effet de rendre la glace plus épaisse sur le fleuve. À la fonte des neiges, les glaces se sont amoncelées au cap à la Roche, ce qui bloqua le lit du fleuve. L'eau s'est répandue rapidement et a atteint les maisons et les étables. Cette montée graduelle du niveau obligea les gens qui habitaient les maisons basses à monter à l'étage. Plusieurs maisons et bâtisses furent endommagées.

En 1896, une énorme pyramide de blocs de glace forma un embâcle majestueux au cap à la Roche et provoqua la plus grande inondation jamais vue. Devant cette montée des eaux, on décida de placer les bêtes dans le fenil de l'étable. À la hâte, on installa dans la grange une passerelle pour faire monter les bêtes. Mais l'eau montant toujours, les madriers du plancher de l'étable furent bientôt soulevés (ils n'étaient pas cloués). Le plancher était devenu peu sûr, ce qui rendit le bétail plus nerveux ; la confusion la plus totale régnait dans l'étable. L'eau monta encore, pour atteindre en peu de temps la hauteur de la ceinture. Là, les hommes, impuissants, désespérés, rendus à bout, abandonnèrent les misérables bêtes. Plusieurs d'entre elles périrent.

À la maison, ce ne fut guère plus drôle. On commença à sauver un peu de légumes de la cave, un peu de lingerie au rez-de-chaussée, puis on se réfugia à l'étage. En six heures, l'inondation atteignit un niveau tel que personne ne pouvait plus sortir par la porte. Heureusement, un jeune garçon avait pensé au canot. Il amarra son embarcation à la rampe de l'escalier de l'intérieur de la maison. On n'avait qu'à descendre deux marches pour sauter dans le canot avant de sortir par une fenêtre. Une fois la famille placée en sécurité, on essaya de rescaper les poules, juchées un peu partout, et les quelques animaux qui avaient pu trouver un refuge. Entre autres, un cochon avait réussi à grimper sur un tas de fumier. On porta secours au pauvre animal qui eut l'instinct d'embarquer sans hésitation et sans y être contraint.

Pendant une semaine, on se serait cru en pleine mer. Heureusement, le temps se fit plus clément. De nombreux canots se promenèrent, transportant les personnes et distribuant les provisions.

Lorsque l'embâcle fut défait, le niveau commença à baisser, au grand soulagement des victimes de ce désastre. Ce n'est qu'à ce moment qu'on put mesurer l'ampleur des dégâts et qu'on constata la perte des animaux : bêtes à cornes, moutons, porcs, poules, etc. Un cultivateur perdit sept de ses douze vaches laitières.

Les clôtures des champs avaient été emportées par le courant. Mais comme chaque pieu portait la marque distinctive de son propriétaire, on en vint tant bien que mal à démêler le tout et à récupérer son bien et ses terres. Cependant, certains cultivateurs avaient omis de marquer leurs pieux ; cela donna lieu à quelques différends entre voisins.

Sans aucune indemnité, nos ancêtres ont reconstruit leur patrimoine avec courage, vaillance et foi.

La mère Zoé

Zoé est la troisième enfant, née d'une famille nombreuse comme il se devait à cette époque. Son prestigieux père jouissait du privilège d'appartenir non à la noblesse bourgeoise mais à la descendance d'un dignitaire, seigneur d'une des plus vieilles concessions de la Nouvelle-France. Et il n'hésitait pas à faire étalage de son illustre descendance quand l'occasion se présentait.

La nature a été généreuse envers la jeune Zoé en la douant d'un bon caractère et d'une physionomie agréable; c'était une grâce dans ce temps-là. Pour parfaire cette personnalité attachante, la jeune fille reçut une éducation supérieure en faisant un stage de six mois au pensionnat des Sœurs de la congrégation de Notre-Dame.

Onézime, cultivateur établi sur une terre au «Petit Village», détenait par ce bien-fonds la condition requise pour fonder un foyer. Et le jeune homme fixa son choix sur la belle Zoé pour en faire la compagne de sa vie. Celle-ci, âgée de seize ans, venait tout juste de terminer des études de perfectionnement. Après de courtes fréquentations, Onézime, pour réaliser son rêve, dut franchir une dernière étape, et non la moindre : faire la «grande demande».

Même si on était à l'étroit dans les maisons familiales, on réservait une petite pièce pour les grandes cérémonies, comme l'exposition des morts sur les planches, les demandes en mariage, ou autres solennités particulières. Le «p'tit salon» était meublé de chaises empaillées, de la commode d'héritage et d'une petite table avec dessins incrustés ou sculptés sur laquelle reposait l'album-souvenir. La lumière de l'unique fenêtre était cachée par deux bandes de papier, vert du côté extérieur et beige pour l'intérieur. L'ameublement simple et la pénombre donnaient un cachet de chaleur et d'intimité. Le soir de la demande, dans le sanctuaire, une lampe à l'huile répandait sa lumière sur les deux couples appartenant à des générations différentes. Le caractère officiel de la demande n'était pas de nature à faciliter la démarche anxieuse du prétendant. Mais armé d'un courage égal à son grand désir, Onézime formula à Monsieur Louis la demande en mariage de sa fille.

«Vous ne la trouvez pas un peu jeune?»...

La demande en mariage

Dans le p'tit salon, une lampe à l'huile répandait sa lumière sur les deux couples appartenant à des générations différentes.
«Vous ne la trouvez pas un peu jeune?»

et sans attendre de réplique, le père se leva et quitta la pièce. Probablement que le jeune fermier ne répondait pas aux espérances du paternel comme gendre, puisque la réponse, sans être catégoriquement négative, était de nature à déconcerter le pauvre aspirant. Félicité, la mère, resta bien sereine devant l'impulsivité de son homme; calmement, elle rassura le pauvre garçon en lui disant: «Je vais arranger les choses cette semaine et vous reviendrez.» En effet, le pouvoir féminin peut manier un gouvernement à sa guise, par voie détournée, car peu de temps après, les noces d'Onézime et de Zoé étaient célébrées dans la joie avec le consentement de tous.

Le jeune couple n'était pas comblé par le luxe et la richesse. «J'ai apporté mon bagage dans un mouchoir de poche», dira Zoé en riant. Onézime débuta avec un troupeau de cinq vaches, quelques moutons, trois petits cochons et une douzaine de poules. Mais les jeunes époux étaient riches d'amour, de compréhension et de dévouement. La terre généreuse fournira bien la nourriture et le vêtement à ceux qui l'habitent; toutefois, ce nécessaire ne sera acquis que par le fruit du travail laborieux et prolongé. Neuf enfants naîtront de cette union: sept garçons et deux filles. Tous ont hérité d'une stature imposante et d'une santé florissante. Les premières années furent difficiles, car une grande pauvreté sévissait sur toute la région. «Quand on divise une tête de mouton en deux pour faire une soupe, il faut ajouter de la galette pour compléter un repas», racontera plus tard Zoé en se moquant de ces épreuves passées.

À cette époque, il était fréquent que la maladie s'ajoute à la misère. Onézime était bronchite asthmatique. Il était «souffleux», disait-on. Néanmoins, le jour du Seigneur apportait le repos et le réconfort pour la semaine. Après l'assistance à la messe, on se retrempait dans la communauté paroissiale sur le perron de l'église en attendant les vêpres. Puis l'accueil chaleureux au dîner chez grand-père Louis, l'essayage d'une pièce de couture ou de tricot fabriquée par grand-mère au cours de la semaine, tous ces témoignages de solidarité et ces générosités apportaient un réconfort et un stimulant. Quoi de plus pour rendre heureux des gens modestes et confiants? «Quand on a la paix, le bonheur est tissé de peu de choses.»

Zoé, secondée par son époux, a réussi à vaincre toutes les difficultés par son courage à toute épreuve et par son dévouement inlassable. Sa prévoyance a su tirer de la terre une nourriture saine et abondante pour la maisonnée; cependant, les mets, à part l'omelette du dimanche, n'étaient pas tellement variés, car le lard salé, la galette de sarrasin et le lait caillé constituaient presque toujours le menu journalier.

La famille était habillée de toile et d'étoffe du pays. De la semence de la graine de lin jusqu'au déroulement de la pièce, de la tonte des moutons jusqu'au tissage de ces étoffes de toile et de laine transformées en vêtements cousus à la main, il y avait une succession de manipulations longues et ardues.

De plus, tout le monde, du plus petit au plus grand, se chaussait de bottes faites à la maison. L'empeigne et le dessous du mocassin, faits d'une seule pièce, étaient découpés dans un côté de cuir ou de poudrier, nom donné à la demi-peau tannée de bœuf ou de vache de boucherie. La jambière, exigeant plus de souplesse, était taillée dans une peau de veau.

Pour l'accomplissement de ce travail, la collaboration de chacun était nécessaire. Les aînés, des garçons, apprirent à tricoter dès leur jeune âge. Le soir, à la chandelle, les petits doigts convertissaient des pelotons de laine en bas et en mitaines. Et comme récompense, chaque tricoteur recevait une pomme pour une veillée de travail. À l'automne, en échange de quelques pièces provenant des ventes de produits agricoles au marché de Québec, la mère Zoé se procurait le traditionnel baril de pommes.

Plusieurs obstacles s'opposaient à un enseignement scolaire de qualité. Pour se rendre à l'école, les enfants des rangs devaient marcher un mille et demi dans un chemin plus souvent vaseux que poussiéreux; et en hiver, le froid et les tempêtes n'amélioraient pas le trajet. Et quand il faisait beau, le travail de la ferme requérait l'aide des enfants pour aider le père, ce qui fait que les absences à l'école étaient nombreuses.

Un jour d'automne, deux gars, un grand et un petit, nu-pieds et en culotte de toile, conduisirent les vaches sur une terre éloignée. Tous deux avaient reçu l'ordre de laisser manger les bêtes à leur guise le long de la route pour ménager le pâturage. Après avoir dîné à la vieille grange, l'aîné, selon les recommandations de la mère, fit répéter quelques réponses

de catéchisme au petit. Mais ce dernier, par distraction ou par manque de connaissances, était trop lent à débiter les réponses; alors, le maître impatient et impétueux essaya de faire pénétrer les leçons à coups de pied dans le postérieur du jeune. Malheureusement, cette méthode dynamique ne produisit aucun résultat notable, si ce n'est querelle et larmes.

Lorsque le soleil toucha le faîte de l'orme qui se dressait au milieu de la clôture de pierres, on rassembla le troupeau pour le retour à l'étable. Évidemment, à la maison, la mère Zoé dut bien faire la part des choses entre les deux versions opposées.

La communion solennelle clôturait très souvent les études élémentaires. Néanmoins, on avait appris à lire, à écrire et à compter «assez pour se défendre», disait-on. Dans ce temps-là, l'expérience valait bien les diplômes.

Les enfants collaboraient de plus en plus aux travaux de la maison et de la ferme. Grâce à cette aide familiale, la part de la récolte qui serait vendue au marché augmentait de façon notable, ce qui apporterait un peu d'aisance. Le salaire de l'aîné comme manœuvre augmenta aussi le revenu familial.

Vers l'âge de dix-huit ans, les garçons apprirent un métier. Cette formation s'acquérait par un entraînement continu de trois ans chez un menuisier ou un forgeron. Durant ce stage, le jeune homme devait fournir un travail soutenu de huit à dix heures par jour sans aucune rémunération. À la fin de son stage, le jeune homme était reconnu un professionnel. Si le maître menuisier voulait témoigner de la générosité, il offrait un coffre d'outils à son élève. L'apprenti forgeron, pour sa part, était quelque peu privilégié. Il touchait une gratification hebdomadaire de vingt-cinq cents; pour lui, la fin du stage n'était pas seulement marquée par des paroles amicales et de maigres encouragements.

Trois fils ainsi formés quitteront le foyer pour exercer leur spécialité à la ville. En dépit de cette diminution de main-d'œuvre, le jardin s'agrandissait pour subvenir aux besoins croissants. À cause de ce surplus de travail, les chaussettes de laine n'étaient pas toujours en ordre... «Je n'ai plus de bas, se lamentera un grand.

– Va t'en chercher dans la boîte au grenier, répondra tout bonnement Zoé.

– J'ai été voir et ils sont tous percés, se plaindra le même criard.

– Ma fri*, demande donc au bon Dieu d'en avoir toujours des pareils.» Et les rejetons de tabac continuaient à tomber sous les doigts de la mère Zoé, même si le dîner devait retarder.

Deux autres garçons iront s'établir au Lac-Saint-Jean. Que de sacrifices n'a-t-elle pas faits pour aider ces deux défricheurs, principalement son plus vieux qui les avait si grandement secourus par son aide à la maison et par son salaire saisonnier de débardeur et de batteur au moulin; cette machine lui a même amputé le bras droit. Personne ne saura ce que contenait le cœur et le sac à main de la mère lorsqu'elle s'embarquait dans le train en direction du nord pour secourir son Éric, pauvre, manchot et affligé de plus par la maladie de son épouse. Au cours du même voyage, elle

soulageait aussi son autre exilé, Alex, pas trop débrouillard et peu sociable, ce qui était bien de nature à amplifier la misère du bûcheron éloigné.

La mère Zoé excellait dans plusieurs domaines. Elle était douée d'une bonté naturelle qui inspirait la confiance. Sans brusquerie, elle gouvernait la barque à son gré, avec une autorité souple. Tout simplement, les grands garçons suivaient les recommandations de leur mère et respectaient ses volontés. Son époux tardait quelquefois à exprimer immédiatement un accord complet, mais comme Zoé connaissait bien son homme, elle ne le contredisait pas. Le moment venu, Onézime modifiait son opinion pour prendre une décision conforme à la volonté de son épouse.

Un jour de janvier, Zoé voulut rendre visite à sa fille mariée. Cette idée ne souriait pas à Onézime. Il évoqua la rigueur du temps pour dissimuler son désaccord. «On ira une autre fois», dit-elle, en continuant tout simplement à filer. Cependant, Onézime devint hésitant. Il se rendit à l'étable tout en scrutant les cieux. Pendant l'absence de son époux, elle prédit à sa jeune bru, en souriant: «Il va changer d'idée.» Et de fait, la temps fut jugé plus clément à son retour et on s'appareilla pour la promenade.

Non seulement la famille était comblée par le dévouement de cette mère incomparable, mais qui, dans le rang, n'a pas bénéficié de ses services pour soulager la maladie ou pour apporter une aide quelconque? Son expérience et son adresse étaient bien reconnues. Elle était aussi la sage-femme de la région.

Conduire les vaches au pacage

Un jour d'automne, deux gars, un grand et un petit, nu-pieds et en culotte de toile, conduisirent les vaches sur une terre éloignée. Tous deux avaient reçu l'ordre de laisser manger les bêtes à leur guise le long de la route pour ménager le pâturage.

Chez elle, la bonne humeur et l'accueil chaleureux ne faisaient jamais défaut. Elle avait toujours une gâterie à offrir à un enfant. Le dimanche après-midi, à la suite d'un somme, on la voyait visiter son jardin avec Onézime ; elle rayonnait de reconnaissance envers le Seigneur. Quelquefois en ce jour de repos, elle rendait visite à sa sœur Délina, mère d'une nombreuse famille. « Quand on voyait venir tante Zoé, c'était... c'était... comme le bon Dieu. » Cette expression d'une nièce manifestait bien la grande joie que Zoé répandait partout.

Les grandes épreuves n'ont pas épargné cette femme exemplaire. Sa plus jeune enfant, une très jolie fille de vingt et un ans, prenait une grande place dans la maison par sa vitalité exubérante et ses caprices. Au début de l'été, elle fut frappée d'une maladie qui ne pardonne pas. Durant l'évolution de son mal, la sainte maman a su dissimuler aux siens l'issue fatale de cette maladie. Mais les voisins furent bientôt renseignés par un aide-fermier qui prédisait : « La belle demoiselle va mourir ; regardez, il y a toujours beaucoup d'oiseaux juchés sur les fils téléphoniques en face de la maison. » Douée d'une force hors du commun, la mère Zoé enseigna à sa fille la résignation à la volonté de Dieu. Le dernier dimanche de septembre, l'état de la malade s'aggrava et Marie-Anne mourut doucement. Lors de ce moment pénible, les membres de la famille, réunis à son chevet, exprimèrent une douleur profonde. Mais la mère, admirable, ne manifesta son chagrin que par deux larmes silencieuses. Puis, immédiatement, elle apaisa avec sérénité l'affliction des autres.

Zoé a cultivé toute sa vie la vertu sublime de l'oubli de soi. Elle volera au chevet d'un fils qui vient de subir un grave accident. Nuit et jour, elle soigne ce père de famille, affaibli par la maladie. À peine la guérison se confirme-t-elle qu'un autre devoir urgent réclamera les bienfaits de l'inlassable dévouement maternel. La serviabilité illimitée de Zoé la conduira auprès d'une bru affligée de faiblesse extrême. Cette mère exemplaire sème la confiance, la sérénité et le bonheur.

Toutefois, les desseins de Dieu sont insondables ; cette femme en bonne condition physique, descendante d'un père décédé à un âge plus que centenaire, est subitement atteinte d'une maladie fatale qui la ravit aux siens après quelques mois de souffrances aiguës. La fin imprévue de celle qui avait toujours assumé toutes les responsabilités laissait la famille dans un désarroi total. Ce fut un deuil paroissial. En grand nombre, on vint rendre visite à cette femme célèbre par sa simplicité, son abnégation et son jugement conforme au bon sens. De tous les coins, des voitures se dirigèrent vers la maison marquée d'un crêpe ; même des charrettes éclairées d'un fanal faisaient partie du cortège. L'amour de Dieu, du prochain et du travail a rempli toute la vie de la mère Zoé, une femme extraordinaire qui a laissé l'héritage d'une œuvre sublime, accomplie dans la confiance et la soumission à la sainte volonté du divin Maître.

Bien que de dix ans plus âgé que son épouse, et éprouvé par une santé précaire,

Onézime survivra quelques années au départ de celle en qui il avait toujours placé toute sa confiance. Puis, un jour, il alla sans bruit rejoindre sa défunte. Ils ont disparu, ces grands-parents admirables, laissant à leurs enfants l'héritage des biens qui ne créent pas la désunion : les valeurs de courage et d'abnégation.

Au marché

À l'époque, le marché était presque le seul débouché pour les produits agricoles. Après les récoltes, du début de septembre jusqu'à la fin de novembre, à toutes les deux semaines, à cause des marées, un bateau fait le service de transport sur le fleuve en direction de Québec.

Le vendredi, à deux heures du matin, on se lève... quand bien sûr on a eu le temps de se coucher. Le cheval est attelé à la charrette et les produits qui ont exigé tant de travail et d'efforts constants sont entassés dans la voiture avec une satisfaction un peu orgueilleuse. La plupart du temps, ce voyage d'affaires est confié à la mère qui, habillée chaudement d'étoffe du pays, coiffée de son éternel chapeau de feutre noir et les épaules couvertes d'une belle chape* tissée s'embarque pour se rendre au marché, remplie d'espoir.

Le père ou l'aîné conduit le bœuf ou le cheval de trait dans un chemin cahoteux, couvert d'une gelée blanche ou d'une première neige, jusqu'au quai de Grondines. Le bateau démarre de Saint-Jean-Deschaillons. La joie est grande au quai de Grondines lorsqu'on voit pointer le bateau, car il ne fait pas chaud sur le bord du fleuve alors qu'on est exposé à tous vents. Enfin, une fois les marchandises embarquées, nos femmes sont soulagées de leurs appréhensions souvent justifiées, car les vagues, la pluie et la noirceur causent parfois des problèmes de dernière minute.

Le bateau ne possède qu'un nombre restreint de cabines. Évidemment, les gens de Saint-Jean ont la préséance pour la réservation d'un lit. Toutefois, les dames de Grondines ne s'en plaignent pas trop car, tout en économisant vingt-cinq cents, le plancher du petit salon est laissé à leur disposition, ce qui leur permet de se détendre un peu avant d'affronter les imprévus et les clients exigeants.

Après avoir desservi les quais au nord et au sud du Saint-Laurent, le bateau accoste au port attenant au marché. Les matelots débarquent les marchandises avec des brouettes. Puis, avec son coffre et des boîtes de bois, on s'installe en rangées symétriques sur cette place publique afin de permettre une circulation facile des clients. Maintenant, nos vendeuses exhibent leurs marchandises: tabac, fèves rouges, beurre, œufs, poules, viande de

Zoé s'en va au marché

À bord de *L'Étoile,* bateau de transport, nos héroïques grand-mères transportaient au marché, à Québec, les produits de l'été, fruits de la coopération de chacun: tabac, fèves, tinettes de beurre, etc.

mouton et de veau, artisanat. Le soir, après avoir mis ses coffres sous clé, on retourne au bateau pour passer la nuit sur le plancher du petit salon.

Le lendemain, samedi, après avoir entendu la messe à la chapelle Notre-Dame-des-Victoires, les dames reprennent leur place respective au marché Champlain. Souvent, on a la chance de se libérer assez tôt en après-midi pour s'adonner au magasinage : un côté de cuir (une demi-peau de bœuf tannée) pour la fabrication de bottes sauvages, d'un chapeau ou de bottines pour les aînés ; aussi, un panier de raisins ou de pommes pour les enfants qui ont beaucoup travaillé et qui attendent à la maison.

Imaginons la somme de travail qu'exige la culture du tabac. Tout d'abord, la semence se fait en couche chaude de bonne heure le printemps. Dès ce moment, il faut une surveillance continuelle : arrosage, aération, soleil, chaleur, etc. Au début, chaque plant est protégé par un cadre de bois ou par un bardeau. Ensuite, on procède à une succession de sarclage, de renchaussage et d'enlèvement des rejetons jusqu'à maturation. Ensuite, coupés à la hache, pied par pied, les plants de tabac mûris à point sont liés à la base deux par deux et sont suspendus à des perches dans le hangar et l'étable pour le séchage.

Ainsi, durant un mois, l'étable n'étant plus libre, on devra traire les vaches dans les champs. Il ne fait pas chaud pour les jeunes, le matin au sortir du lit, nu-pieds sur la gelée pour faire la traite. Il faut faire se lever la vache et s'asseoir sur son petit banc à l'endroit réchauffé par le corps de la bonne bête.

Souvent, la température froide et incertaine hâte la récolte des plants qui n'étaient pas à point lors de la première coupe. Si, au cours de la nuit, la température baisse au point de congélation, le père, la mère, les aînés, se lèvent pour couper le tabac afin de sauver la récolte. Les plants sont empilés et couverts de jutes et de catalognes*. Le lendemain, on procède à la même opération de séchage.

Après le souper, à la lueur de la chandelle, on apporte les feuilles de tabac par brassées et là, autour de la grande table, toute la famille étire et lisse avec la main les feuilles une à une. Puis on les empile en tas d'une livre plus une feuille parce que la mère répétait souvent : « Mes enfants, soyez honnêtes. Dieu vous pèsera avec la même balance. » Pour lier cette pile de feuilles, on encercle l'extrémité la plus épaisse de ce paquet avec une autre feuille afin de maintenir le tout. On demandera quinze cents pour une livre de tabac, ou vingt-cinq cents pour deux livres. Cependant, quand arrive le soir et que commencent à se faire sentir le froid et la fatigue, une offre de dix cents la livre n'est pas refusée.

Autrefois, la fève rouge était une plante grandement consommée. Lorsque les fèves sont mûres, il faut arracher les plants à la main. Après un premier séchage dans les champs, on transporte cette récolte dans la grange. Les gousses sèches sont battues au fléau par petite quantité. Bien égrenées, les fèves mêlées d'écorces sont mises en poches. La paille jetée, le travail reprend. Le van fait un premier tri et un deuxième crible, plus fin, permet d'éliminer les derniers restes des tiges et des feuilles émiettées. Plus tard, en automne, viendra la dernière opération, et non la moindre : le triage manuel en famille. On vide un minot de graines au centre de la table pour trier une à une les belles fèves et pour éliminer les mauvaises. On recevait environ trois cents pour une livre de fèves rouges.

Chaque produit que les familles préparaient en vue du commerce réclamait un effort persévérant, une patience à toute épreuve et un amour vrai de la terre.

Au retour, après un arrêt aux quais d'une rive à l'autre, le bateau accoste aux Grondines à une heure tardive ; les hommes attendent, transis de froid. Après avoir été bercé par les vagues, on est maintenant secoué sur les chemins cahoteux, exposé aux vents froids de la nuit, pour les quelques milles qui séparent le quai de la chaleur du poêle à trois ponts*. À la maison, tout le monde s'intéresse aux péripéties du voyage, et déjà on discute des prévisions pour le prochain marché dans deux semaines. On vivra d'espoir tout ce temps.

Au printemps, le gros ouvrage !

Au printemps, quand on apercevait des pointes de terre percer la neige, les hommes disaient: «Ah! c'est l'ouvrage qui se découvre.» Effectivement, au printemps, les exigences de la ferme étaient nombreuses et ardues, car autrefois la mécanisation était quasi absente. En outre, le réveil printanier réclamait une participation non moins intensive de la part des créatures. «Oui, notre bon temps est fini», ajoutaient les femmes.

Lorsque la fonte des neiges gonflait le ruisseau, les femmes rangeaient la production artisanale réalisée au cours de l'hiver pour se livrer au grand ménage. On commençait par déménager dans le fournil. Ce changement d'air constituait un excellent stimulant et augmentait la vaillance. Mais auparavant, on devait procéder au grand ménage de la cuisine d'été* et des appentis*: la laiterie* et le tambour. Dans cette dernière pièce, on trouvait le banc de siaux*, le lave-mains*, des crochets de bois pour suspendre des vêtements de travail, le fanal, la romaine et divers instruments. On terminait par la toilette du poêle et le lavage des planchers. À l'intérieur comme à l'extérieur, il régnait un dynamisme communicatif.

«Ça sent pas bon dans le hangar.» Cette remarque marquait le début du consommage*. Au moment des boucheries, au début de l'hiver, tous les restes des animaux abattus, impropres à la consommation, étaient lavés et mis dans un récipient, puis exposés au froid de l'hiver, hors de la portée des chiens et des chats. Au printemps, au cours du dégel, le moment d'extraire le suif de cette tripaille était signalé lorsque qu'une certaine odeur commençait à se dégager du récipient.

En prévision de cette opération, on avait préparé une solution alcaline en trempant de la cendre de bois franc dans une part égale d'eau pendant quelques jours. Le poêle à trois ponts permettait en effet d'accumuler des cendres chauffées et rechauffées, ce qui avait pour effet de leur donner plus de causticité. Néanmoins, le moyen le plus rapide et efficace d'obtenir du lessi*, c'était de faire bouillir dans le grand chaudron de fer une part de cendre pour deux parts d'eau jusqu'à l'obtention d'un caustique assez mordant pour brûler les fibres

Le savon du pays

Le savon du pays à l'arôme alcalin était obtenu par le travail, la persévérance et le savoir-faire de nos femmes d'autrefois.

74

Thérèse
S-1980

d'un morceau d'étoffe de laine que l'on trempait au bout d'une palette*.

Désormais, cette lessive filtrée, ou plutôt « écrémée », après le repos du résidu, était ajoutée à trois seaux d'eau dans le grand chaudron de fonte, puis suspendue à une crémaillère. Pour éviter les odeurs désagréables, le vent devait souffler du côté opposé aux bâtisses pour qu'on puisse commencer l'opération. Cependant, si on possédait une cabane munie d'une fournaise et d'une cheminée, on pouvait procéder en tout temps, peu importe la direction du vent. Une fois le lessi mené à ébullition, on y jetait les restes de l'abattage à demi-gelés et d'aspect douteux. Le suif fondu qui montait à la surface était récupéré avec un poêlon et versé dans un seau de bois. Après quelques heures d'ébullition, on ajoutait les déchets de cuisine : os, couenne, graisse, qui avaient été mis en réserve dans la laiterie au cours de l'hiver. À plusieurs reprises dans la journée, on écumait la surface jaunâtre pour remplir de ce gras liquide un seau d'une capacité de vingt livres. Après avoir assisté à la séparation du gras des déchets, on était heureux de mettre en réserve jusqu'à deux contenants remplis de suif. Avant d'entreprendre la deuxième étape du travail, il fallait laver soigneusement le chaudron.

Si le temps était favorable, la fabrication du savon suivait de près le consommage. Aux trois seaux d'eau vidée dans le grand chaudron, on ajoutait le lessi. Bien sûr, on devait effectuer des essais pour voir si le mélange était suffisamment corrosif pour effilocher facilement un morceau d'étoffe du pays après un trempage. On devait toutefois s'assurer que le produit ne soit pas fort au point de brûler le suif que l'on ajoutait. À cette solution, on ajoutait douze livres de résine, et l'on terminait en saupoudrant un plat de sel sur le mélange.

Pour la cuisson, il fallait entretenir un feu moyen afin d'éviter le débordement de la solution portée à ébullition. Si le niveau s'élevait dangereusement, un peu d'eau froide suffisait pour ramener le mélange à un niveau sûr. De temps en temps, la ménagère trempait une palette dans le chaudron pour vérifier l'épaisseur du bouillon. Le cas échéant, elle ajoutait du sel jusqu'à ce que le lessi puisse s'écouler de la palette en un mince filet clair. Comme lors de la fabrication du sucre d'érable, on faisait des essais en laissant tomber des gouttes du produit en ébullition au bout de la palette dans un bassin d'eau froide. Si la petite goutte, une fois durcie dans l'eau froide, ne se dissolvait pas, le savon était à point. Cette cuisson durait environ deux heures, selon le degré de chaleur et la force du caustique. Le produit était alors retiré du feu pour qu'il se solidifie. Au cours de la soirée, le savon était habituellement assez figé pour qu'on puisse le tailler en pains. Le lendemain, les pains étaient retirés du chaudron afin de les faire sécher au soleil. Ce savon du pays à l'arôme alcalin était obtenu par le travail, la persévérance et le savoir-faire de nos femmes d'autrefois.

Le lavage de la toile du pays est souvent la deuxième activité du grand ménage printanier. Tôt le matin, avec un seau, on recueille du ruisseau une bonne quantité d'eau. Par la

Le lavage au battoir

Qu'est-ce qui peut égaler le lavage au « battoir » avec du savon du pays et un rinçage à l'eau courante ?

suite, on chauffe cette eau dans un chaudron en ajoutant du lessi. On évaluait la causticité du lessi en en laissant tomber une goutte sur le bout de sa langue. Le lessi était jugé à point lorsque la goutte irritait légèrement la langue.

À cette époque, toute la lingerie de la maison était faite de toile de lin : serviettes, rouleaux*, linges à vaisselle, nappes, draps, paillasses, traversins, sacs à grain, etc. Toutes ces pièces mises au blanchissage s'accumulaient dans un grand sac ou dans un coffre au grenier parce que cette lessive se faisait deux fois par année : au printemps et en automne.

On procède à un premier lavage au battoir ou à la laveuse munie d'un levier. Cette première brassée est ensuite plongée dans le lessi en ébullition durant environ une demi-heure. Puis les pièces sont retirées de l'eau bouillante avec une palette pour être immergées dans une cuve d'eau froide afin d'enlever le caustique. La toile est lavée de nouveau et rincée à l'eau claire. Chaque brassée est soumise aux mêmes opérations. Les paillasses seront suspendues à la première cordée parce qu'elles devront être remplies de paille fraîche ou de feuilles sèches de blé d'Inde* le soir même.

Les draps et les nappes séchaient ordinairement dans la même journée, mais on attendait le soir pour tordre et étendre les serviettes, les linges à vaisselle et les sacs à grain afin de profiter de la gelée, qui fait blanchir davantage la toile. Faute d'espace sur la corde à linge, on étendra les morceaux restants sur l'herbe du coteau. Les rayons du soleil donneront à la toile une blancheur impeccable.

Après l'étoffe du pays, on lavait les couvertures de laine. L'eau douce et le savon du pays imprégnaient la laine de cette senteur de propreté agréable qu'aucun produit commercial ne peut remplacer. La toilette du lit n'était pas complète sans le rafraîchissement du cache-oreiller et du falbala. Cette dernière pièce, qui garnissait le bas du lit jusqu'au plancher, était une bande plissée de toile, de coton ou de dentelle. Au repassage, ce volant était rabattu verticalement par petits plis à double épaisseur, ce qui donnait au tissu l'apparence d'un éventail.

Le lavage du blé d'Inde faisait partie de la succession des opérations printanières. Le maïs lavé est un mets exquis. Toutefois, pour s'en faire une provision, il faut soumettre le maïs à une série d'opérations dans lesquelles entrent en jeu divers éléments naturels : eau, soleil, gelée, chaleur. Après la fabrication du savon et le lavage de la toile, le chaudron de fonte est nettoyé en profondeur et le grain de maïs prend place à son tour dans la marmite.

À l'automne, lorsque le maïs est bien mûr, les épis sont décortiqués. Cependant, les trois dernières feuilles ne sont pas détachées de l'épi mais simplement rabattues afin de pouvoir les entrelacer. À cette époque, les doigts liaient habilement la paille, les joncs, les cheveux, etc. Évidemment, tresser de longues nattes d'épis de maïs n'était qu'un jeu d'enfant. Après cette étape, on suspendait les épis à des clous sur un mur extérieur du hangar durant une quinzaine de jours. On obtenait ainsi une parfaite maturation et un complet séchage en vue de la conservation. Ensuite, ces épis étaient placés au

La paillasse de paille

Les paillasses étaient faites de toile de lin. Après le blanchissage, les paillasses étaient remplies de paille fraîche dans la « batterie » de la grange.

grenier pour l'hiver, accrochés à une perche.

Au printemps, avant de laver le blé d'Inde, il fallait d'abord égrener les épis. Pour ce faire, chacun procédait à sa façon. Certains réussissaient un égrenage parfait en frottant les épis les uns contre les autres, ou en frottant à plusieurs reprises l'épi sur une barre de fer. Cette friction détachait les grains qui tombaient dans une cuve placée de façon à les recueillir. Par la suite, le maïs était étendu et placé à l'extérieur, de telle sorte que le vent puisse emporter les pellicules plus légères qui s'étaient détachées des épis et mêlées aux grains pendant le décorticage.

Le chaudron était rempli aux trois quarts de lessi. La solution alcaline devait être aussi caustique que le lessi utilisé pour le lavage de la toile. « Un petit lessi doux », disaient les grand-mères. Le blé d'Inde était cuit dans cette solution corrosive jusqu'à ce qu'il double de volume. À ce moment, le grain était à point. Retirés du lessi en ébullition avec une épuisette, les grains étaient trempés immédiatement dans l'eau froide. Après avoir vidé et nettoyé le chaudron, on le remplissait de nouveau d'eau claire. Le grain était replongé dans le chaudron pour y mijoter un court moment afin d'enlever tout le caustique. Enfin, on immergeait les grains dans l'eau froide d'une cuve la nuit durant.

Le lendemain, les grains tendres étaient étendus sur une plate-forme de bois entourée d'une paroi peu élevée. On pouvait aussi tout simplement verser les grains sur une nappe de toile à l'extérieur, ordinairement sur la galerie. Plusieurs poignées étaient cueillies par les passants qui ne pouvaient résister à la tentation. Pendant environ une semaine, le soleil et une légère gelée évaporaient l'humidité ; ainsi, complètement desséché, le maïs était étendu de nouveau sur une nappe placée au grenier pendant quelques jours avant d'être mis en sac. La soupe aux pois de nos grand-mères recevait une généreuse poignée de ces grains de maïs, leur famille nombreuse étant friande de ce mets sain et délicieux de chez nous.

L'eau, cette richesse infinie, continuera d'offrir ses bienfaits dans le cadre d'autres activités printanières. Son murmure se mêlera aux plaintes des agneaux bêlant leur premier printemps à la porte de la bergerie.

Les sucres

« *O*uais, la tempête du nordet* a fait son apparition. Ça va être le temps de s'appareiller* pour les sucres. » – « Ah ! oui, ça s'en vient ben, pis il paraît que les siffleux* et les ours sont sortis de leur trou. » Nos vieux prenaient le temps d'observer.

Trois semaines après la tombée d'une neige poussée par un vent du nord-est, et qui collait au pignon de la grange, aux troncs et aux branches des arbres, le temps des sucres était arrivé. Cette période coïncidait avec le réveil des marmottes et des ours, avec l'arrivée des corneilles et avec le gonflement des ruisseaux.

La première étape de la saison des sucres consiste à déneiger la cabane à sucre*. C'est dans cet abri, appelé aussi « cabane à gueule », qu'est remisé tout le grément* de la sucrerie.

On entaille* les érables, chaussé de raquettes légères fabriquées de planches de cèdre et sous lesquelles sont fixées d'étroites baguettes transversales pour les rendre moins glissantes. L'entaille se fait avec le coin de la hache. Le premier coup, d'une largeur d'environ six pouces, est donné à l'oblique et le deuxième coup, tranchant, fait partir un éclat, ce qui donne une ouverture descendant en biseau, de manière à ce que la sève rejoigne la pointe de cette fente. Au coin de l'entaille, on fait une incision au moyen d'une gouge afin de d'insérer facilement sous l'écorce la goudrelle*, petite auge de cèdre ouverte aux deux extrémités, d'une longueur d'environ six pouces. Au pied de l'érable, la neige est foulée et aplanie pour qu'on puisse déposer le récipient qui devra recueillir la sève. Ce contenant est une bûche de cèdre creusée qui peut recevoir un gallon d'eau.

Pour transporter la sève à la cabane, le sucrier* fixe sur un traîneau un baril de cèdre d'une capacité de dix à douze seaux. La paroi ovale du tonneau a pour but de le rendre moins versant. Une gelée blanche la nuit suivie d'une journée ensoleillée favorise une bonne coulée* et rend par conséquent nécessaire la tournée des érables pour recueillir la sève abondante. Le contenu de chaque cassot* est vidé dans un seau et transvasé dans le baril de cèdre.

Chargé d'un seau d'eau d'érable au bout de

chaque bras, et chaussé de raquettes, il n'est pas facile de conserver son équilibre à travers les arbustes sur une neige fondante et inégale. Il faut être adroit afin d'éviter les pertes. Après la cueillette, la neige est de nouveau égalisée et foulée au pied de chaque arbre pour remettre le cassot en équilibre. Le grand baril rempli, on tire le traîneau à la force du bras jusqu'à la cabane. Là, la sève est de nouveau transvidée dans une tonne. Ces opérations sont répétées jusqu'à ce que toute l'eau d'érable soit recueillie.

Le sucrier allume des feux sous les trois ou quatre grands chaudrons de fonte suspendus à une crémaillère à l'extérieur, près de la cabane. Maintenant notre homme, fatigué mais content, se repose en fumant sa pipe. Il attise le feu, il remplit et chauffe les bouilloires de façon à faire évaporer le surplus d'eau de la sève pour réduire le contenu de la cueillette. Ordinairement, l'eau du récipient central, portée à ébullition, sert à remplir les autres chaudrons. Par conséquent, l'ébullition de l'eau des deux autres chaudrons n'arrête pas.

Lorsque les bouillons commencent à prendre une teinte dorée, il y a danger qu'une montée subite du liquide provoque un débordement. Pour éviter ce renversement, on suspend un morceau de couenne de lard sur le rebord intérieur du chaudron. Dès que le liquide en ébullition atteint le morceau de lard, il retombe à un niveau moins inquiétant.

Devant ses feux qui pétillent, le sucrier s'active à la transformation graduelle d'une eau légèrement sucrée en un bon sirop épais, en tire ou en sucre d'érable, puis en sucre. La famille se régalera toute l'année de ce dessert incomparable. L'excédent de la production se vendait à l'époque cinquante cents le gallon et huit cents la livre de sucre.

Au début des sucres, on ne voit pas les entailles parce que les goudrelles et les cassots disparaissent dans la neige foulée. Mais aux dernières tournées, la neige est presque complètement fondue. À ce moment, le cassot se trouve de trois à quatre pieds au-dessous de la goudrelle. Si l'on fait silence, le bruit des gouttes de sève qui tombent dans les cassots font une jolie musique.

Pour rapporter à la maison les produits de la sucrerie, on dépose sur ses épaules un joug ayant aux extrémités un seau rempli de sirop ou de sucre. Chaque main tient l'anse afin d'éviter le balancement. Le transport peut aussi s'effectuer à l'aide d'un «berceau». C'est un genre de havresac dans lequel était rangé le produit de la journée. Le retour à pied au foyer, par un chemin quasi impraticable, chargé d'un fardeau, après une journée harassante, n'est pas de tout repos. Cependant, le sucrier repartira le lendemain matin sur la neige, alerte et heureux.

La sève recueillie à la fin du temps des sucres a souvent un goût un peu âcre. Toutefois, comme tout était mis à profit, on la faisait bouillir de façon à en réduire le volume de moitié. Le tout était filtré dans un linge d'étoffe du pays et apporté à la maison. Après un mois, ce liquide suri et fermenté devenait un vinaigre qui entrait dans la préparation de marinades d'oignons, de betteraves et de concombres salés.

Dans le temps passé, toutes les sucreries

Les sucres

Vers la fin mars, la tempête des corneilles et le gonflement des ruisseaux annoncent le temps des sucres. Le sucrier entaille les érables, chaussé de raquettes. L'entaille se fait à la hache. Au coin de l'entaille, il insère la goudrelle, petite auge de cèdre. Au pied de l'érable, il dépose une auge de bois pouvant contenir un gallon d'eau.

étaient entaillées. Celui qui en possédait plus d'une louait ses érables à la condition de se faire remettre la moitié de la production s'il fournissait tout le grément et le bois de chauffage. Par contre, le dixième de la production était accepté si le locataire apportait tout le nécessaire.

À Pâques, le jeune homme offrait à sa bien-aimée un cœur en sucre. On peut s'imaginer qu'il mettait toute son adresse, son cœur et sa fierté dans la préparation de son présent. Le père de famille remplissait de sucre des écales d'œuf pour ses enfants. Chacun avait sa part de joie et d'amour.

Le chapeau de paille

La terre généreuse procure tous les biens nécessaires à la vie; il suffit de développer des méthodes ingénieuses pour convertir les richesses de notre environnement en biens de toute sorte.

Certains travaux s'effectuent à une période de l'année bien précise. Au temps des moissons, lorsque les vents ondulent les champs dorés d'épis de blé, c'est le moment de faire une première récolte en prévision de la fabrication de chapeaux de paille pour la famille nombreuse. En été, comme pendant les autres saisons, tout le monde porte son chapeau pour se protéger du soleil, ou peut-être simplement par habitude.

La mère, accompagnée des aînées, s'en va cueillir de belles pailles de blé. Lorsque le temps est propice, le blé peut atteindre de dix-huit à vingt-quatre pouces de longueur. On choisit les tiges à l'unité et on les coupe à quatre ou cinq pouces de terre, au-dessus du collet.

Par une belle journée d'automne, sur la galerie ou dans le fournil, on s'installe pour tresser la paille. On retire les tiges une à une du seau pour les dégarnir de l'épi avant de les déposer dans une petite auge de cèdre creusée. L'auge est remplie d'eau et placée sur une table à portée de la main. L'ouvrière assemble quatre pailles d'inégale longueur qu'elle tresse en pointant les tiges vers le haut. À mesure que les brins raccourcissent, ils sont remplacés en insérant la partie fine d'une autre paille dans le tubulaire à substituer. Ainsi, le joint est solide et invisible. La natte s'allonge, touche le plancher, tourne sur elle-même pendant que les doigts entrelacent toujours la paille humide et flexible jusqu'à l'obtention de quelques brasses.

Pour le chapeau de travail, on pouvait natter six et même huit brins, mais pour le chapeau du dimanche, c'était autre chose: la créativité était à l'honneur. Il y avait la tresse de fantaisie ou dentelée qui pouvait être réalisée en pliant la quatrième paille dans le sens contraire et en excédant la pointe. Il fallait alors tourner la natte; les pailles à tresser se dirigeaient donc vers le bas.

La tresse est trempée de nouveau et passée dans un pressoir, genre de tordeur à rouleaux de bois monté sur une base ressemblant à celle d'une braye* à lin. La presse aplatit la couette et la rend égale et lisse. Maintenant, l'ouvrière façonne et modèle avec son aiguille la natte en chapeau.

Le panama blanc était en vogue à l'époque. La décoloration de la paille s'obtient en clouant le chapeau sur l'envers du couvercle de bois d'un tonneau. Une lampe allumée est placée au fond du tonneau. Au-dessus du globe, on installe un support portatif auquel on fixe un réchaud. Sur le réchaud, on place un vase contenant du soufre. Sous l'effet de la chaleur de la lampe, le soufre dégage une vapeur lourde et opaque. Le couvercle à l'envers duquel le chapeau est fixé ferme le tonneau en laissant toutefois un mince filet ajouré pour permettre la circulation d'air. Pendant une nuit, à l'extérieur bien entendu, la vapeur de soufre produit une réaction chimique au contact de la paille. Cette réaction a pour effet de décolorer les tiges de blé jaunies par le soleil, l'air et l'eau. Le lendemain, on obtient ainsi un joli panama blanc.

Le chapeau de paille

Avant la moisson, nos artisanes d'autrefois allaient choisir et couper de belles tiges de blé en vue de la fabrication des chapeaux.

On laisse tremper la paille dans l'eau avant de la tresser. Ensuite, la tresse, à nouveau humectée, est aplatie entre les rouleaux du moulin à paille, puis devient un chapeau entre les mains de l'habile fermière.

Les teintures

Autrefois, tout se faisait à la main. L'habileté de nos femmes était extraordinaire dans tous les domaines. Cependant, dans l'art des couleurs, les dames pouvaient faire montre d'une « patience d'ange ». Voici quelques méthodes pour obtenir de magnifiques teintures.

La teinture avec de l'indigo donne à la laine un coloris d'un beau bleu. Toutefois, cette méthode efficace réclame une manipulation pénible, un travail exigeant et long puisqu'il faut en premier lieu recueillir deux à trois seaux d'urine. Le contenu des vases de nuit est recueilli chaque matin et transvidé dans un contenant. L'indigo, matière colorante d'un bleu pur, présenté sous forme d'alun, est ensuite délayé dans un grand chaudron de fer dans lequel on a déjà versé la quantité d'urine nécessaire. Puis on suspend le chaudron à une crémaillère ou on le dépose sur un foyer de pierres à l'extérieur. La laine à teindre est plongée dans la teinture chaude qu'on agite longuement avec un bâton. Pendant neuf jours, il faut tordre les écheveaux à la main et chauffer le contenu jusqu'à ébulli-tion pour tremper de nouveau la laine. À chaque trempage des fibres, il faut bien brasser avec une palette afin d'obtenir une couleur uniforme. Afin de suppléer à l'évaporation, chaque matin, une quantité d'urine sera versée dans le chaudron.

La fibre deviendra, après plusieurs rinçages et une exposition à la gelée, une belle laine bleue, inodore, dont la couleur ne sera jamais altérée. Des couvre-lits « frappés », des chemises, des jupes, etc., le tout était fait avec précision, patience et amour par les femmes d'antan.

L'écorce de pruche rend d'innombrables services à ceux qui connaissent ses propriétés. Elle permet entre autres d'obtenir une teinture brune. Au printemps, on abat un arbre pour l'écorcer. Cette écorce, débarrassée de la surface rugueuse, est coupée en morceaux et foulée dans une poche. Le sac d'écorces de pruche solidement lié est déposé dans un grand chaudron de fer rempli d'eau pour être bouilli durant trois bonnes heures. Puis le sac est suspendu au bout d'une fourche afin de recueillir dans le récipient toute la teinture qui tombe goutte à goutte. Maintenant, on n'a qu'à plonger dans la teinture des écheveaux de laine qui seront utilisés pour le tricot ou le tissage d'étoffe ; on pourra aussi teindre des peaux de mouton qui seront employées à différents usages : tapisser le fond des carrioles, couvrir un dossier de chaise berçante*, etc. Après quelques minutes d'ébullition dans cette teinture, tous les articles retirés du chaudron sont colorés d'un brun cuivré foncé.

La vieillesse est un état respectable parce que riche d'expérience. Pourtant, les dames désirent souvent cacher les traces apparentes du vieillissement ; l'écorce de noyer ou les écales de noix se font leurs complices afin de dissimuler les cheveux blancs. La coloration obtenue par l'ébullition des écorces de noyer rajeunira la chevelure en la teignant d'un beau châtain plus ou moins foncé selon le temps de l'infusion. De même, la laine et les tissus bouillis dans ce liquide, auquel on ajoute une poignée de sel et un peu de vinaigre, sortiront colorés d'un brun clair.

La fleur de la verge d'or, une fois bouillie, teint les tissus en jaune doré. La pelure d'oignon procure un coloris jaune plus pâle alors que l'écorce d'aulne noircit. La nature nous offre gratuitement toute la gamme des nuances. À nous de faire le choix.

La tondaison

Comment le printemps peut-il nous être annoncé plus agréablement que par le bêlement hésitant des agneaux à la porte de la bergerie?

Pour bénéficier des bienfaits de la laine, il y a plusieurs étapes à franchir. En premier lieu, il faut faire la tondaison. C'est une besogne assez ardue qui, de plus, coïncide avec le temps des sucres, le vêlage, la fente du bois, le savon, les couches chaudes, etc.

La tonte des moutons se fait vers la mi-avril; à cette période de l'année les gros froids sont passés. Les pattes liées, on couche sur une table l'animal qui se débat et proteste par un bêlement plaintif. On rase la peau de la bête en soulevant la laine de la main pour la rouler vers la tête à mesure que les ciseaux coupent le poil frisé. Des poux, soudainement découverts, courent sur la peau dégarnie et quelques-uns osent même se promener sur les mains du tondeur. Ces détestables petites bestioles importuneront les tondeurs pendant quelque temps. Dépouillé de son poil jusqu'au dos, le pauvre mouton est retourné afin que le tondeur puisse le dégarnir complètement. La toison est ensuite roulée et mise dans une poche. La brebis, maintenant détachée, semble malheureuse ou du moins bien frileuse. Elle retourne à la bergerie vers son petit qui la reçoit joyeusement par un petit bêlement significatif. Ainsi, à tour de rôle, les douze à quinze moutons seront soulagés de leurs longs poils.

Maintenant, il faut laver cette laine. On verra souvent deux ou trois voisines s'associer pour effectuer ce lavage qui requiert plusieurs opérations. La tonne qui a servi à abreuver les animaux pendant l'hiver sera remplie au ruisseau. Cette eau est alors portée à ébullition. On plonge une toison complète dans le foulon rempli d'eau chaude et, à l'aide d'un pilon, on brasse la laine qui dégage un mélange d'odeurs fortes de fumier, de gras et de saleté. Après avoir agité longuement l'eau avec un bâton, les mains plongent dans cette lessive sale afin de tordre la laine qui est déposée par terre sur une toile. Une substance alcaline se dégage de ce premier lavage; ce produit rend l'eau très douce et fait rider les mains. Le récipient est vidé pour être de nouveau rempli d'une eau

Les moutons

Le bêlement des agneaux à la porte de la bergerie annonce le printemps. Bientôt ce sera la tonte des moutons et le filage de la laine en prévision de l'hiver.

très chaude. On y plonge alors la laine pour un deuxième nettoyage. L'activité du pilon blanchit cette belle toison qui est tordue de nouveau. Un troisième rinçage élimine de la laine toute souillure et toute mauvaise odeur. La toison est ensuite égouttée et étendue sur l'herbe. Le soleil radieux du printemps sèche la laine et parachève le blanchiment.

La laine est tournée et retournée sur la prairie pour assurer un bon séchage au grand air. Le soir, cet amas est recueilli dans de grandes couvertures pour être étendu sur la galerie ou sur le plancher dans un coin libre de la maison, ce qui permet d'enlever ce qui reste d'humidité.

Maintenant, on sépare les toisons: d'une part, on regroupe les longs poils du dos qui, étant plus soyeux et plus blancs, seront utilisés pour le tissage d'étoffes et de couvertures. D'autre part, les fibres frisées de la tête, des pattes et du ventre, étant plus courtes et plus ternes, serviront à la fabrication de mitaines et de bas tricotés.

Lorsque la femme a un peu de temps libre, elle prend un paquet de laine afin de l'échiffer*. Ce travail ne plaît pas tellement aux petites filles, mais la collaboration est de rigueur. Chacune prend une poignée de poil qu'elle dépose sur ses genoux. Les doigts démêlent et défrisent les bouclettes, enlèvent les pailles, les saletés et tous les corps étrangers. Du côté droit de la chaise s'élève un monticule d'ouate souple; de l'autre côté les déchets s'accumulent. Dans de grandes couvertures, on foule la laine échiffée. Les coins opposés des couvertures sont noués et on

remise ce paquet en attendant le cardage. Ainsi sera échiffée toute la laine du printemps.

Avant de filer, il faut que les fibres soient cardées. Une poignée de laine est déposée sur les pointes métalliques de la carde gauche; à l'aide de la carde droite, une cardée d'environ un pouce de diamètre et de huit pouces de longueur est roulée après quelques frottements habiles, puis déposée dans un grand panier qui se remplit rapidement.

La plupart des moulins à farine ne tardent pas à se munir d'une carde. Ainsi, le meunier moud le blé et carde la laine. Avec une grande voiture, le cardeur va quérir de porte en porte les volumineux paquets de laine bien échiffée qu'on veut bien lui confier. Lorsque les meules à farine s'arrêtent, faute de grain, l'eau actionne les cardes. Les trois machines fixées côte à côte sont munies d'un ensemble de roues d'engrenage et de courroies de transmission qui actionnent les rouleaux garnis de pointes métalliques. Le cardeur introduira dans l'«échiffeuse» le contenu d'un gros ballot de laine frisée. Cette première opération nettoie et démêle les fibres qui seront transférées successivement dans chacune des deux autres machines. Celles-ci, presque identiques, font passer les poils dans les cylindres pour les rendre souples comme de l'ouate. Enfin, la dernière opération enroulera les poils et laissera tomber l'un après l'autre des «boudins» légers de trois pieds de longueur et d'un pouce de diamètre dans le berceau. Lorsque celui-ci est rempli, le cardeur en fera une torsade qui s'empilera sur les autres jusqu'à la fin du lot.

C'est ainsi que le tas informe se métamor-

Le moulin à cardes

L'échiffeuse nettoie et démêle les fibres qui seront transférées successivement dans chacune des deux autres machines. Celles-ci manipulent la laine afin de la rendre uniforme et souple pour en faire des rouleaux. La laine est prête à filer.

phose en rouleaux uniformes de laine prête à filer qu'on enveloppe dans une couverture. On en attache les coins avec des épines de cenelliers*. La voiture du cardeur remettra à chacun sa propriété moyennant une rétribution de cinq sous la livre.

Nos ancêtres méritent bien le titre de «Canadiens pure laine».

L'étoffe du pays

Durant les longs mois d'hiver, la mère et ses filles utilisent le rouet et filent aisément six fusées* par jour. Si la laine est destinée au tissage, la texture sera un peu différente selon la disposition de l'entrelacement. Les fils étendus en longueur forment la chaîne. Ils doivent être plus tordus; aussi, une attention spéciale est apportée aux reprises. Les fils enlacés en travers constituent la trame. Ces derniers requièrent moins d'habileté; par conséquent, la petite sera fière de faire son apprentissage en filant cette laine qui est aussi destinée au tricot.

L'ourdissage est l'opération préparatoire au tissage. Auparavant, on enfile les brins de vingt cannelles* dans une palette percée de vingt trous. Les fils attachés à l'arrière de la plaque de bois sont liés au premier crochet de l'ourdissoir, un appareil dont le cadre mesure huit pieds de longueur sur quatre pieds de hauteur. À la première rangée, la croisée se fait en alternant entre le pouce et l'index chaque fil qu'on fixe à deux bâtons insérés à l'oblique au centre du cadre. La longueur de la pièce est déterminée par les espaces entre les crochets de l'ourdissoir. La largeur est définie en comptant dix brins au pouce.

Monter une pièce requiert une série de manœuvres qui ne permettent aucune erreur. Il faut passer les brins dans les lames et le ros. Du tissage simple, on confectionne les sous-vêtements, les chemises, les vêtements des enfants. L'étoffe croisée donne un tissu plus épais et plus souple pour les couvertures de lit et la doublure des peaux de carriole. Elle convient aussi pour les vêtements d'hiver: capots*, pantalons, jupes, etc. Afin de se prémunir contre le froid, la pièce qui servira à la confection des vêtements d'hiver est foulée pour rendre les fibres plus compactes et plus résistantes. Il s'agit de tremper le drap dans de l'eau savonneuse très chaude et de le battre en refoulant l'étoffe.

Tous ces vêtements, de toile ou de laine, seront confectionnés à la main. On ne disposait pas encore de machine à coudre à cette époque.

Les femmes réalisaient des chefs-d'œuvre d'une grande valeur comme les couvre-lits « frappés », les nappes de lin à motifs, etc. On attachait aussi beaucoup d'importance aux couvertures des chevaux. L'agencement des carreaux et des lignes en deux couleurs autant dans la chaîne que dans la trame devait se répéter sans erreur. Le dimanche, les chevaux défilaient allègrement en portant la couverture d'étoffe du pays aux jolis coloris, devant des regards admiratifs et un brin envieux. Les travaux sur le métier – les tricots ou autres exécutions artisanales – sont autant d'occasions de conversation au début des soirées entre voisines et parentes ; c'est aussi l'occasion de s'entraider, d'échanger, etc. Pendant que les femmes s'adonnent à ces travaux manuels, les hommes vantent leur chevaux, s'obstinent, font des paris. À la fin, tout le monde s'amuse : jeux de cartes, harmonica, chants, histoires. Le conteur professionnel a aussi le don de charmer son auditoire ; lui, il en vu des loups-garous et des fantômes...

Ces réunions amicales se tiennent souvent à l'occasion de la venue de parents éloignés qui font la « tournée ». Le couple en promenade qui, au début de son union, a pris racine dans une paroisse éloignée, est bien heureux de se retremper dans son milieu d'origine. Le tintement des grelots à une bonne distance annonce cette visite qui est agréablement reçue par toute la parenté. La randonnée annuelle entretient, au-delà de la distance, les liens sacrés de l'amour, du souvenir et de l'attachement.

La tournée de la parenté

Autrefois, on prenait le temps de se visiter. La randonnée annuelle entretenait, au-delà de la distance, les liens sacrés de l'amour, du souvenir et de l'attachement.

Le lin

« J'ai ici de quoi m'habiller des pieds jusqu'à la tête », disait l'intendant Jean Talon au roi de France. Deux siècles plus tard, nos prédécesseurs pouvaient reprendre en chœur : « La belle toile du pays, c'est notre richesse, notre fierté, notre patrimoine. »

La culture du lin requiert une attention toute spéciale. La qualité des produits de cette plante textile est influencée par une succession de facteurs importants : le temps, la fertilité du terrain, le moment de la récolte et le rouissage. Le lin donne une fibre qui, après plusieurs opérations exigeant une certaine dextérité, se transformera en une toile résistante.

La semence du lin se fait à peu près selon les mêmes procédés que l'ensemencement de l'avoine. On utilise de préférence un terrain fertile près de la maison, qu'on entoure d'une solide clôture afin de le protéger de tout intrus qui pourrait écraser ou casser cette plante fragile.

Lorsque la maturation est atteinte, on arrache le lin à la main pour le coucher sur le sol. Cet exercice est harassant à la longue, mais la fatigue est compensée par la satisfaction lorsque la production correspond aux attentes. Une récolte sera jugée bonne si la terre est entièrement cachée par l'alignement horizontal des plants arrachés.

Il faut laisser le lin au moins de trois à quatre semaines étendu sur le champ et exposé à toutes les conditions climatiques afin de le faire rouir. Pour obtenir un bon séchage, on tourne les tiges à la main ou à la fourche. Le rouissage terminé, toute la maisonnée participe au ramassage des fibres qu'on réunit pour former une gerbe liée par une hart. Il faut travailler avec précaution afin de ne pas perdre la graine qui est bien mûrie. Les gerbes sont ensuite recueillies délicatement avec une fourche et sont déposées dans la charrette. Le javelage et l'engrangement doivent se faire la même journée, avant le serein. Puis la récolte est déchargée dans la batterie* parce que le plancher fait de madriers bien ajustés ne laisse pas s'échapper la moindre graine.

Les javelles de lin sont déliées pour être battues au fléau. Dans un coin libre de la batterie, le batteur égrène rapidement la récolte. Du tas de graines, on prélève d'abord la quantité nécessaire pour la prochaine semence. En-suite, on remplit un sac qui sera apporté à la maison afin d'avoir près de la main ce produit médicinal à partir duquel on fera des remèdes efficaces. Enfin, le reste des graines est dis-tribué aux vaches au cours de l'hiver.

Par une belle journée d'automne, quel-ques voisines se groupent pour brayer*. De préférence près d'une rivière et à l'abri du vent, on dépose à quelques pieds du sol, sur une table grossière, des rondins d'aulnes quelque peu espacés sur lesquels on étend une mince épaisseur de tiges de lin bien alignées. Sous cette table rustique, un feu séchera les fi-bres. La chaleur se dégageant de ce brasier et s'infiltrant à travers les rondins fait craquer et se tordre les tiges. Une surveillance continuelle doit être exercée, car il suffit d'une étincelle pour consumer en peu de temps cette paille inflammable. Un seau d'eau est toujours à portée de la main pour éteindre immédiate-ment un éventuel début d'incendie.

La base solide et lourde d'une braye mesure environ trois pieds de haut. La partie supérieure est formée de trois planches paral-lèles légèrement espacées et placées sur le cant*. On dépose les tiges de lin sur les plan-ches et on les bat à l'aide d'un bâton. Après plusieurs coups, les fibres commencent à s'as-souplir et on braye ainsi jusqu'à l'obtention d'une filasse blonde. Puis ces fils sont tressés et pliés en deux. Ce demi-écheveau est déposé dans un panier et sera suivi rapidement d'autres torsades.

Maintenant que les fibres sont débar-rassées d'une grande partie des écorces, il faut enlever les aigrettes* tenaces. Pour ce travail, on installe les brayes à l'étable ou à un endroit assez chaud. Dans le fourneau du poêle, on fait sécher les torsades. Très chaudes et sèches à craquer, on les enveloppe dans une vieille couverture de laine afin de conserver la chaleur pendant le transport. On braye de nouveau jusqu'à l'obtention d'une filasse sou-ple et presque douce. La poignée de fils est de nouveau tordue puis enroulée.

En peignant la filasse blonde, on sépare l'étoupe du brin. Le peigne est fait d'un madrier d'environ quinze pouces de long sur huit pouces de large. Le centre de cette plan-che épaisse est muni de vingt à trente dents de bois ou de clous forgés d'environ huit pouces de long. Ce peigne de fabrication artisanale est placé sur un banc ou une chaise en face de la peigneuse qui fait le triage. Il s'agit de passer à travers le peigne le demi-écheveau remis en poignée. Ainsi, la filasse est débarrassée de tous les fils enchevêtrés. Les brins lisses et forts qui ont résisté à l'épreuve du peigne formeront la chaîne du tissage.

Après les Fêtes, les femmes se reposaient en filant le lin ou la laine. La « couette » sous le bras, le fuseau du rouet tire la filasse que la fer-mière retient de ses doigts habiles afin que ne se tordent que les fils nécessaires à former le brin. De temps en temps, la fileuse trempe le bout de ses doigts dans l'eau parce que l'hu-midité favorise l'étirage d'une chaîne fine et résistante. La filature de l'étoupe ne requiert pas autant de dextérité parce que ce fil plus grossier servira à la tissure*.

Maintenant, il faut monter la pièce sur le

métier, puis passer les fils dans les lames et le ros. La quenouille se promènera longtemps pour entrelacer trente aunes de belle toile que l'on déroulera sur la neige du printemps. Durant deux à trois semaines, le soleil blanchira le tissu.

À partir de cette pièce de toile, on confectionne des paillasses, des draps, des serviettes, des tabliers, des chemises et des sous-vêtements. Pour ce qui est des sous-vêtements, toutefois, il pouvait y avoir des inconvénients.

Les quelques aigrettes tenaces qui ont résisté aux opérations précédentes agacent et irritent la peau plus douillette de certaines parties du corps.

Autrefois, nos ancêtres savaient tirer de la terre inépuisable le vêtement comme la nourriture pour donner à leur nombreuse famille tout le nécessaire. Et ce nécessaire, il fallait le gagner par le travail, la patience et l'ingéniosité.

Le brayage du lin

Par une belle journée d'automne, quelques voisines se groupent pour brayer.

La Grand-Julie

L'époque austère et les conditions de vie de nos ancêtres ont contribué à donner à certaines femmes un caractère sévère. Le souvenir de ces femmes et de leurs œuvres quelquefois excentriques s'est perpétué au fil des générations.

La Grand-Julie était l'une de ces femmes. Son originalité, son esprit brusque, dictatorial et chicanier se sont développés outre mesure, au point de rendre la vie quelque peu difficile à son entourage. Cependant, cette carapace dissimulait une grande tendresse et une serviabilité pour ceux qu'elle aimait.

Aînée d'une famille de dix enfants dont sept filles, Julie a développé dès son jeune âge une grande force physique. Pour cette femme de forte carrure, la douceur et la délicatesse étaient des signes de faiblesse. En été, elle accomplissait les gros travaux de la ferme; de bonne heure le matin jusqu'au midi, le foin se couchait rapidement sous la faux. Ses bras maniaient la faucille et le javelier avec dextérité; pas un homme n'est sorti vainqueur dans des essais de confrontation. Après la récolte de la ferme paternelle, ses services étaient requis au « Pied de la Montagne », sur les terres de colonisation de ses frères. Encore là, elle déployait une résistance insurpassable dans la coupe du blé. Le samedi midi, après une semaine de travail ardu, Julie et sa sœur Lumina accrochaient les faux pour parcourir à pied la distance de quinze milles afin de se rendre chez elles, au bord du fleuve; pendant ce temps, le gros cheval gris d'Octave se reposait à l'écurie, se nourrissant du grain que les femmes avaient coupé.

La façade de la longue maison de pierres des champs était éclairée par sept fenêtres. Durant la saison morte, les sept demoiselles Hamelin, dites Laganière, et leur rouet se plaçaient à tous les châssis* pour filer le lin qui servait à la fabrication des voiles de bateau. Chacune avait son dévidoir qui se remplissait d'écheveaux au cours d'une bonne journée de travail soutenu. Si Julie avait été douée de la plus forte constitution, elle n'avait cependant pas l'agilité et la rapidité de ses sœurs pour les travaux délicats Afin de dissimuler cette faiblesse, un ou deux écheveaux étaient dérobés adroitement et ajoutés à sa production pour atteindre le nombre de fusées réalisées par les

La Grand-Julie

L'époque austère et les conditions de vie de nos ancêtres ont contribué à donner à certaines femmes un caractère sévère.
La Grand-Julie accomplissait les gros travaux de la ferme paternelle. Ses bras maniaient la faucille et le javelier avec dextérité.

autres fileuses. Évidemment, une querelle en règle s'élevait, des épithètes disgracieuses étaient échangées, mais l'incorrigible Grand-Julie restait inflexible dans son attitude guerrière. Le lendemain, les sept filles recommençaient le même travail aux sept fenêtres de la longue maison ancestrale.

Grand-Julie vieillissait en âge et en mauvaise grâce. Elle développait, de plus en plus, une humeur difficile et grincheuse. Puis survint un revirement subit; la religion l'avait rendue tellement dévote qu'elle marchait une longue distance à pied tous les matins pour assister à la messe. Sa douceur affectée ne cadrait plus avec ses manières rustres. Cependant, la rumeur ne tarda pas à circuler au sujet du retard de plus en plus marqué de son retour à la maison: la sortie de l'église coïncidait avec la rencontre d'Olivier, qui conduisait ses vaches au pacage. Celui-ci était veuf et, en outre, les circonstances facilitaient la rencontre puisque la ferme voisine de la Fabrique était sa propriété. La publication des bans confirma bientôt les rumeurs.

Olivier venait d'épouser une femme forte, une personne qui avait la capacité de prendre seule toutes les décisions, de gérer le commerce et d'exécuter les travaux de la ferme. Étant commerçant d'animaux, Olivier devait transporter la viande à Québec tantôt en voiture, tantôt en bateau. Lorsque Olivier avait, à l'occasion, les facultés affaiblies par l'alcool, c'était sa Julie qui, de sang-froid, assommait les bœufs. La bête tombait toujours au premier coup de masse. Dès lors, Julie pouvait exécuter facilement toutes les opérations d'abattage; ainsi, le commerce n'était jamais ralenti par les «faiblesses» occasionnelles d'Olivier.

L'entreprenante Julie joua bientôt des coudes avec ses voisins. D'abord, ce fut avec son beau-frère au sujet d'un terrain. Pourtant, le «Gros Betsé» n'était pas facile, mais l'impétuosité de Julie permit à celle-ci de l'emporter, au grand étonnement des témoins. Victorieuse à sa droite, elle provoqua alors un affrontement à sa gauche. Cette fois, la lutte promettait d'être longue et tenace. Son adversaire, le curé Martel, était un homme belliqueux, habile et opiniâtre dans l'art de se chicaner. Une longue lutte s'engagea entre les deux parties.

La chicane commença au sujet d'un veau. Le curé voulait acheter une génisse de la meilleure vache d'Olivier. Julie eut vent que l'éventuel acheteur irait sur place afin de choisir le veau de la vache laitière la plus rentable. Or, la veille de l'inspection, soi-disant imprévue, Julie oublia intentionnellement de traire une vache. Le lendemain, M. Martel s'amène à l'étable et tombe dans le piège qui lui était tendu. La traite du pis gonflé remplit une pleine chaudière* de lait écumant. Naturellement, M. Martel achète la vache que désirait lui vendre Julie. Toutefois, la satisfaction du curé se changea en colère au moment où celui-ci apprit la ruse de la Grand-Julie. Une telle supercherie devait être compensée par une revanche. Or, une occasion inattendue se présenta au curé Martel.

Des racontars circulaient à l'effet que Julie vendait de la baboche*. Immédiatement, le zélé pasteur fit une plainte auprès de la Justice dans le but de pénaliser la coupable. En effet, à cette époque, un séjour en prison était à peu près le seul moyen d'expiation prévu pour le délit de vente illégale d'alcool. Peu de temps après la dénonciation, deux officiers de police munis d'un mandat de perquisition se présentent au domicile de l'inculpée. En apprenant le but de cette visite inattendue, Julie va s'asseoir sur un gros baril derrière le poêle et crie aux hommes de loi : « Fouillez si vous voulez dans la maison, mais ne m'approchez pas, vous n'avez pas le droit de toucher à une femme. » Et de fait, les hommes n'osèrent pas... et partirent bredouilles. Pauvre curé, il venait encore de perdre une manche. Néanmoins, l'hostilité entre ces deux personnages colorés était toujours présente.

Voici quelques extraits d'archives de la Fabrique des Grondines relatant des conflits entre les mêmes inflexibles chicaniers :

7 avril 1889. « Vu la mauvaise volonté du voisin Olivier Grondines, dont les animaux ont brisé notre clôture, la Fabrique paiera le montant de 94 centins* pour éviter de plaider contre lui. »

27 août 1893. « À une assemblée des Marguilliers, il est discuté qu'Olivier Grondines a fait des clôtures sur le terrain de la Fabrique au bord de l'eau pour mettre ses animaux, malgré la défense du Curé. (On consultera un avocat.)

« M. le Curé ayant fait connaître que la femme d'Olivier Grondines, Julie Laganière, avait coupé, le 23 août 1893, la broche qu'il avait fait poser sur la clôture [...] pour empêcher les animaux dudit Olivier Grondines de passer sur le terrain de l'église, il est réglé

que la Fabrique s'informera si M. le Curé avait le droit de poser cette broche avec des pointes afin de la faire reposer, s'il avait ce droit ».

17 septembre 1893. « M. le Curé ayant rapporté qu'il avait consulté deux avocats à propos de la conduite de M. Olivier Grondines, et que tous deux lui ont dit que la Fabrique avait plein droit d'empêcher ces gens de se conduire comme ils font, il est déterminé que M. le Curé écrira demain à un avocat de lever une action civile contre M. Olivier Grondines et une action au criminel contre sa femme pour les faire rentrer dans le devoir. »

11 octobre 1893. « Assemblée à l'issue des vêpres. M. le Curé ayant rapporté de Québec qu'il fallait une autorisation spéciale et une procuration d'une personne pour comparaître et poursuivre au nom de la Fabrique dans la difficulté soulevée par Julie Laganière, épouse d'Olivier Grondines, et autres, à propos de la broche à pointes placée sur la clôture de la terre de la Fabrique et qui a été enlevée. Il est décidé que la Fabrique donne à M. le Curé Joseph S. Martel ou au bedeau Théophile Hamelin l'autorisation pleine et entière, de poursuivre lesdites personnes, et de faire tout ce qu'il y aura à faire, en son nom, pour réussir dans cette poursuite et qu'une procuration leur soit donnée à cet effet. »

Vraisemblablement, les procédures mentionnées dans les procès-verbaux ont été entreprises devant les tribunaux. Cependant, les documents d'archives couvrant cette période ont disparu. Cette absence de renseignements écrits coïncide avec le décès du curé Martel. Toutefois, la lettre suivante dénote bien que les procès se sont déroulés selon la décision bien arrêtée de la Fabrique. Par ailleurs, il semble bien que Julie n'ait pas été favorisée par le jugement des hommes. Pour faire renverser la décision, elle fit appel aux sentiments moraux. Voici le texte d'une lettre qu'elle envoya à M. Ludger Auger lors de la retraite paroissiale:

Grondines, 6 février 1898

À Monsieur Ludger Auger,

Mon cher Monsieur, je profite de l'occasion de cette retraite pour vous rappeler l'injustice dont j'ai été la victime pendant que vous étiez marguillier; souvenez-vous que vous avez consenti à me faire des frais qu'à la seule condition que la Fabrique vous rembourserait toutes les dépenses. Comme j'ai été informée que feu Révérend M. Martel n'était pas responsable de ses actes dans le temps, alors cette responsabilité retombe sur vous et la Fabrique. D'après mon aviseur spirituel, je vous déclare que vous devez régler cette affaire qui est en votre pouvoir avant de finir votre retraite; quant à moi, je ne puis vous abandonner ce dommage, et vous savez parfaitement que je n'ai fait aucun tort à la Fabrique et j'étais complètement dans mon droit.

J'espère que vous montrerez toute la bonne volonté que demande une affaire aussi importante. Je demeure,

Dame Olivier Grondines

Olivier, homme plutôt paisible, préférait la soumission à la contestation. Est-ce par obéissance passive, par manque de volonté ou par simplicité? De toute façon, il approuvait toutes les décisions de son épouse: «Ah! oui, ma Julie», répétait-il naïvement. Cette expres-

sion a marqué l'époque. Toutefois, sans protester, il n'approuvait pas les chicanes entre son épouse et l'abbé Martel: «Ah! disait-il, ma Julie fourgaille* le curé pas mal fort.»

Étant devenue veuve, elle retourna à la maison paternelle, apportant avec son baluchon toute son impétuosité. Néanmoins, ses services à ce moment ont été très appréciés. Sa vieille mère a reçu tous les soins que requérait une longue maladie. Le frère Elzéar, sourd et malade, a bénéficié d'une aide appréciable dans les travaux de la ferme. Après avoir allégé la peine d'une famille en deuil, elle adopta le bébé de son frère Liboire qui fut élevé avec amour et indulgence. Julie excellait dans le métier de cordonnier. Elle réparait minutieusement les chaussures et les harnais du canton* à titre quasi gratuit.

Un jour, son protégé, préférant vaniteusement la renommée à l'expérience, envoya réparer ses bottines chez le cordonnier du village par la voiture du lait. Cependant, sa tante se fit remettre en cachette par le laitier le paquet du neveu. Julie répara les chaussures et remit le sac bien ficelé à la même personne afin de cacher sa supercherie. Donc, le petit homme reçut des mains du commissionnaire le retour du colis. Spontanément, il s'empressa d'examiner le travail d'un œil appréciateur. Avec fierté, le petit orgueilleux étale avec satisfaction l'œuvre de l'expert: «Regardez, ma tante Julie, dit-il, ce n'est pas vous qui auriez pu faire ça.»

Julie ne pouvait châtier le petit parce qu'elle voyait dans ses actes répréhensibles des finesses de l'esprit. Les absences scolaires répétées de l'écolier étaient bien compréhensibles car, sans aucun doute, « la maîtresse d'école, une folle avec un diplôme d'allemagne* » (École normale) était bien trop maligne* et exigeante. Néanmoins, sous cette écorce dure, Julie avait un cœur rempli d'affection pour les enfants. Combien de petites filles ont bénéficié de cadeaux et de services gratuits de cordonnerie. Ces privilèges étaient offerts tendrement par cette femme aux manières revêches. Par ailleurs, malheur à ceux qui n'étaient pas dans ses bonnes grâces.

Les petits gars du voisin étaient, paraît-il, des indésirables. Ils prenaient plaisir à jouer des tours à la Grand-Julie. Un de ces malins allait frapper à la porte du salon afin de la déranger, puis il se dissimulait aussitôt sous le perron pour entendre des jurons d'une voix forte et menaçante. Après quelques fausses alarmes, Julie s'aperçut du stratagème. Alors, elle plaça bien à sa portée une arme efficace et elle se mit à l'affût. Ce qui devait arriver arriva : la porte s'ouvrit au premier coup et le gamin reçut en plein visage le contenu d'un vase de nuit. Cette correction a chassé pour toujours les visiteurs fantômes.

Julie, invariablement coiffée de son éternel bonnet et les épaules couvertes d'une lourde collerette, était assidue aux nombreuses cérémonies religieuses de cette époque. À l'extérieur, entre chaque séance de prières, Julie et d'autres dames pieuses se stimulaient car, disaient-elles : « On sera ben de l'autre bord. »

Un hiver, la santé de Julie s'est mise à décliner assez rapidement. Elle refusait cependant d'accepter la souffrance et la faiblesse qui se manifestaient de plus en plus. On lui conseilla de faire « ses pâques » à la maison. Elle refusa en disant : « Pas de cochonneries de même. » Finalement, la maladie a eu raison de cette femme énergique. L'église a reçu une dernière fois une Julie muette et soumise. Elle repose maintenant dans le premier lot au cimetière, un privilège accordé en contrepartie du don d'un coin de sa terre à la Fabrique pour l'agrandissement dudit cimetière. Depuis, la générosité de Julie donne l'hospitalité l'un après l'autre aux citoyens de Grondines.

Hommage à cette femme qui a lutté envers et contre tous pour revendiquer ses droits dans un contexte social particulièrement difficile, alors que les hommes s'attribuaient le monopole de l'autorité.

La vieille fille

Anciennement, l'opinion publique portait un jugement défavorable à l'endroit de la femme célibataire. Les gens, remplis de préjugés et de présomption, traitaient avec dérision et sans discernement celle qui avait passé l'âge de la catherinette, que ce soit par dévouement, désavantage physique ou pour toute autre raison. Néanmoins, le célibat, qui autrefois était considéré comme une vocation de troisième classe, a pourtant rempli un rôle primordial dans la mesure où de nombreux bénévoles se sont mis au service d'une population qui ne réservait qu'aux hommes les emplois rémunérateurs.

Dans une de ses lois concernant l'interdiction de se marier en raison de la consanguinité des conjoints, l'Église, afin d'éviter des unions entre parents, confirmait, hélas! la mésestime populaire à l'endroit de la vieille fille. Ainsi, l'amende imposée pour la violation de cette loi était réduite si l'épouse avait atteint l'âge vénérable de vingt-cinq ans. Dans le but de bénéficier de cette réduction, Lumina a dû attendre d'avoir vingt-cinq ans pour célébrer ses noces avec son cher cousin Louis. « Jamais des louis ont été acquis aussi péniblement pour gagner un seul Louis », affirmait Lumina.

Autrefois, la famille concentrait ses efforts en vue de l'établissement des fils. Naturellement, tous les membres de la famille contribuaient à l'atteinte de cet objectif. Lorsque le temps était venu de transmettre le bien paternel à la descendance, l'acte de donation précisait avec de nombreux détails les charges envers les vieux parents. Par ailleurs, les clauses relatives aux filles non encore mariées se limitaient à la soumission presque absolue au frère que le destin, plus souvent que le mérite, avait choisi comme successeur sur le domaine ancestral.

Voici un extrait d'une de ces donations: « À la charge par ledit donataire de donner et livrer à chacune desdites Demoiselles Adélaïde et Jeuneviève, ses sœurs, une vache laitière et une mère moutonne lorsqu'elles se pourvoiront par mariage. Encore à la charge par ledit donataire de garder avec lui ses sœurs, de les loger, nourrir, vêtir convenablement. Lesdites Demoiselles [...] travailleront au profit du donataire toujours suivant leur force,

La dot

Extrait d'un acte de donation du bien paternel entre vifs par un père à son fils :
« À la charge par le dit donataire de donner et livrer à chacune des dites Demoiselles [...] ses sœurs, une vache laitière et une mère moutonne lorsqu'elles se pourvoiront par mariage. »

thérèse
S 1981

capacité, santé.» (Extrait de l'acte de donation entre vifs par Sieur Joseph Hamelin dit Laganière à Sieur Michel, son fils. 17 décembre 1839.) C'était ça le sort de la vieille fille.

Le célibat n'était pas toujours un état de vie choisi librement par celles qui coiffaient la Sainte-Catherine et «qui demeuraient sur le carreau». Combien de ces âmes sublimes ont renoncé à des espérances bien légitimes, simplement par générosité, comme tante Alice qui, à seize ans, a mis sa santé en péril pour soigner sa belle-sœur tuberculeuse. Après que le fléau eut fait son œuvre, cet ange de bonté n'a pas quitté les cinq orphelins qui, grâce à la noblesse d'une célibataire, ont pu grandir dans l'amour en jouissant du bonheur d'habiter ensemble. Quelques mois plus tard, la traître maladie devait emporter le père, rendant doublement orphelins ces jeunes qui n'avaient pas encore quitté leurs vêtements de deuil. Tante Alice endosse sans hésitation la responsabilité d'élever les neveux que le destin lui confie. Constamment, elle s'est dépensée avec générosité pour procurer le nécessaire à ses protégés. Aussi, avec fierté, ceux-ci ont avancé dans la vie, inspirés par la vie exemplaire de leur tante. Grâce au sacrifice d'une vie, les neveux de tante Alice n'ont pas connu la dispersion, sort réservé à tant d'orphelins d'autrefois.

Des âmes charitables étaient aussi influencées par les préjugés à l'endroit des femmes célibataires. Ce bon frère directeur, lors de la tournée dans ses classes, se faisait un devoir d'éclairer les élèves dans l'orientation d'un état de vie: «Mes enfants, priez pour votre voca-

tion, car bientôt vous devrez choisir l'une des trois voies qui vous conduira au ciel. Voici les options qui s'offrent à votre choix. Il y a la vocation sublime du sacerdoce pour les garçons, la vocation religieuse pour les garçons et les filles qui s'engageront par des vœux dans les communautés de frères et de sœurs, puis la vocation du mariage, digne institution fondée sur un sacrement.» Le bon fils de Lamennais ne daigna même pas rectifier son exposé quand, à un moment, il vit les regards railleurs des élèves se fixer sur la vieille maîtresse d'école qui, de par son état de célibataire, avait été écartée du chemin qui mène au paradis.

Dans certaines familles, l'éducation sévère formait des adolescents simples et naïfs. La grande pauvreté contribuait aussi à amplifier ce manque de culture et d'instruction. En l'absence des garçons, qui partaient très jeunes du foyer pour gagner leur vie, les filles travaillaient à la maison en attendant les amoureux. Mais parfois le destin faisait des oublis. Alors, les chères délaissées étaient attachées sur le bien lors de la donation de la terre paternelle. Or, si le frère décidait de vendre la propriété ancestrale, la vieille fille était vendue avec le bien. Et évidemment, sans égard à son autorisation, le frère la livrait comme une esclave au service des étrangers.

Pour l'établissement de son fils, le père Louis a acheté un bien hypothéqué d'une vieille fille. Naturellement, sans consulter l'opinion de l'intéressée, le nouveau propriétaire amena la pauvre Sophie chez lui afin de libérer la terre de son garçon Darius. Même si l'application de ce droit était contraire au bon sens et à l'équité, la fille n'avait pas la possibilité de décider autrement. Sophie était mal à l'aise chez le père Louis. Elle était de trop dans la maison. De plus, son caractère maussade ne favorisait pas l'entente. Toutes les maladresses des enfants lui étaient imputées. À tort ou à raison, l'encombrante créature s'est fait bourrasser* jusqu'au jour où, sans cortège ni lamentation, le corps inanimé de la vieille fille fut conduit en terre le plus modestement possible.

À l'époque de l'exode aux États-Unis, plusieurs familles ont quitté leur terre de misère pour aller faire fortune dans les facteries*. Anaïs et Aglaé, deux orphelines attachées sur le bien furent abandonnées à leur sort par la cession de la ferme paternelle endettée. La terre fut vendue aux enchères par le shérif à la porte de l'église. Et à la même occasion, la question de l'hébergement des vieilles filles fut réglée sans condition: «J'en prendrais ben une», crie un bon monsieur. «Je garderai l'autre par-dessus le marché», ajoute le nouvel acquéreur de la terre. Les deux «marchandises humaines» venaient de trouver un vrai foyer dans lequel, apparemment, elles vivraient heureuses jusqu'à leur mort.

Anaïs et Aglaé n'ont jamais fréquenté l'école. Leur univers se limitait à l'exécution des travaux domestiques élémentaires et leur bonheur se réalisait dans le dévouement quotidien.

Combien de ces femmes engendrées dans la pauvreté et la misère ont été abandonnées à la dépendance d'un étranger sans autre choix que de remplir un rôle de servante marqué d'abnégation. Dans ce temps-là, c'était comme ça.

Malheureusement, la critique populaire est toujours prompte à condamner avec intransigeance et sans nuance. Évidemment, certaines vieilles filles, par leur caractère acariâtre et insupportable, en ont fait arracher à ceux qui étaient obligés de subir leur présence.

Eugénie, vieille fille par dépit, allumait la lampe du salon pour faire accroire aux voisins qu'elle avait un cavalier. Sa frustration l'avait rendue méchante et sa jalousie la poussait à martyriser sa belle-sœur, la nouvelle maîtresse sur le bien paternel. Continuellement, elle contrariait par des interventions habiles tous les désirs de sa victime. Afin de créer la désunion dans le ménage, Eugénie suggérait de mauvais conseils à son frère, au détriment de son épouse. «Charles, elle va te ruiner, ne la laisse pas te conduire. Ah! une chance que maman ne voit pas le gaspillage.» Si les mets de la nouvelle cuisinière différaient de la popote familiale, Monsieur poussait tout simplement son assiette. Alors, la grande sœur, avec un air hypocrite de compassion, insistait en disant: «Pauvre toé, si tu ne manges pas, tu vas être malade.»

Une fois, la jeune épouse rendit visite à sa mère malade. «Ne va pas la chercher, elle reviendra comme elle est partie. Es-tu capable de la dompter?», dit la sirène à son frère. Après l'attente humiliante de son époux qui, pour faire le jars*, ne s'est pas déplacé pour aller chercher sa femme, celle-ci revint seule auprès de la vulgaire famille à laquelle elle était unie pour toujours.

Enfin, après quelques années de tyrannie, la lampe du salon a éclairé, pour vrai, deux visages radieux. Imaginez, Eugénie venait de répondre affirmativement à une demande en mariage. En venant chercher une nouvelle épouse, ce bon veuf apportait la paix à la maison paternelle.

Il est vrai que certaines femmes célibataires ont joué le rôle du méchant génie. Toutefois, il est regrettable que les défauts d'une minorité soient mis en évidence et que l'on passe sous silence le dévouement incontestable d'un grand nombre de ces demoiselles qui ont vécu à une époque où les préjugés influençaient le jugement populaire.

Ça prenait un dévouement de maîtresse d'école

Autrefois, rares étaient les jeunes filles qui dépassaient le stade des études élémentaires de la p'tite école du rang. Car, selon les décrets des autorités administratives de l'époque, les femmes mariées n'avaient plus le droit d'exercer de fonctions publiques. On jugeait qu'il était inutile de faire instruire un enfant de sexe féminin, étant donné que l'instruction devenait inutile si la demoiselle se mariait.

Néanmoins, en raison de circonstances exceptionnelles, quelques adolescentes dépassaient parfois l'enseignement de l'école de rang en ajoutant une ou deux années d'études intensives au pensionnat des sœurs. Un diplôme modèle ou scolaire était décerné en gage de réussite de cette instruction supérieure. Et, en vertu de ce parchemin, la récipiendaire devenait « maîtresse d'école ».

En plus de la formation scolaire, ces jeunes filles étaient endoctrinées de principes religieux, initiées à la détermination, au jugement. Bref, on les préparait pour la mission qu'on leur confierait. À l'époque, cette éducation a formé des enseignantes qui ont travaillé dans toutes les régions de la province.

La jeune institutrice ne tardait pas à offrir ses services pour dispenser l'enseignement dans une école de la paroisse. Parfois, à une réunion de la commission scolaire, après la messe du dimanche, c'était le père qui, de vive voix, offrait sa fille pour faire l'école, tout bonnement, sans discuter avec les employeurs de la tâche à accomplir. La p'tite maîtresse d'école n'avait qu'à signer le contrat rédigé selon la formule suivante :

« Nous, Commissaires d'écoles, reconnaissons par les présentes avoir consenti à l'engagement de Dlle... de tenir une école élémentaire dans l'arrondissement N° 4 de la Municipalité en conformité aux lois d'éducation actuelle et de règlements établis par les Commissaires de cette Municipalité pendant les douze mois en date du 1er juillet mil huit cent soixante-quatorze et de la part des Commissaires de lui payer la somme de soixante-quatorze piastres courants et de la loger et chauffer.

« Les Commissaires d'écoles s'engagent à payer à ladite institutrice la somme de trente-sept piastres dans les mois de janvier, mil huit cent soixante-quinze et trente-sept piastres dans le mois de juillet de la même année en bon argent et non autrement.

«En foi de quoi, nous avons signé ....»

(extrait du compte rendu d'une réunion).

Dans ce temps-là, une école de rang était érigée aux frais de l'arrondissement concerné, lorsque le nombre d'enfants d'âge scolaire répondait au droit à cette réclamation. Cependant, la nécessité de cette résidence ne paraissait pas évidente à chaque contribuable. Alors, en raison de l'inégalité des besoins scolaires pour chaque famille, il va sans dire que les oppositions et les chicanes entre voisins faisaient en sorte que l'on était obligé de construire une maison assez sobre, à peu de frais. Évidemment, l'eau courante, les toilettes, la peinture et tout autre objet de luxe en étaient exclus. À quelques pieds à l'arrière de l'école s'élevait aussi un bâtiment en forme d'appentis. Celui-ci, de construction rustique, était divisé à l'intérieur en deux parties: d'un côté les bécosses*, de l'autre le bois de chauffage.

Armée de courage, l'institutrice recevra les élèves de l'arrondissement dans cette modeste résidence garnie d'un mobilier à l'avenant: sur une tribune, le pupitre de la maîtresse faisait face à de longues tables espacées par des bancs sans dossier; un poêle à deux ponts et un seau suspendu à une crémaillère ou déposé sur un petit banc occupaient un coin; la boîte à bois prenait place dans un autre angle et enfin, un tableau portatif, fait de bois peint. Voilà pour le nécessaire.

Tous les enfants d'un même rang qui étaient d'âge scolaire avaient le droit et la liberté de fréquenter l'école. La maîtresse, pour sa part, devait être présente. Elle s'était en effet engagée à enseigner, à éduquer et à discipliner ce groupe d'élèves mixtes, petits et grands, mais surtout d'aptitudes d'apprentissage diversifiées. Ce dernier point posait parfois des problèmes à l'enseignante qui était qualifiée, sans plus de formalités, d'«incapable» par les parents dont l'enfant accusait quelque retard sur le groupe.

Jadis, l'indulgence envers l'institutrice n'était pas un principe fidèlement appliqué, car on était influencé par un vieux préjugé: «Une maîtresse d'école, ça fait rien, elle est assise toute la journée.» Et pourtant, combien de ces pionnières dans l'enseignement en ont arraché; ces pauvres filles devaient, dans un même temps, maîtriser cette armée avec rigidité et souplesse, dispenser l'enseignement aux différents degrés et chauffer le poêle. En outre, après une journée de labeur, c'était l'isolement dans la pièce attenante à la classe, dans ce silence qui la plongeait dans l'inquiétude et la peur.

Anciennement, l'opinion populaire, en raison de la vie difficile, se cherchait un objet d'envie. La maîtresse d'école, assise et endimanchée, qui était rémunérée à même les taxes des habitants, était souvent victime de ce sentiment. Pour conserver son emploi, la p'tite maîtresse devait, par une conduite exemplaire d'enfant de Marie, se mettre à l'abri de tout soupçon et ne jamais au grand jamais recevoir son cavalier à l'école. Elle devait s'abstenir d'aller danser et de faire quoi que ce soit qui

Le réfectoire chez les Ursulines

L'uniforme, le silence, la réglementation étaient de rigueur dans les pensionnats.

Au réfectoire, des signes conventionnels permettaient de communiquer à table pour les besoins du service.

pouvait compromettre sa dignité. Elle devait donner l'exemple de la piété et assister à l'instruction de catéchisme par M. le curé après la messe du dimanche. En résumé, Mademoiselle devait agir avec tact et habileté, tant à l'extérieur qu'à l'intérieur de l'école.

Sans protection, l'institutrice était à la merci des commissaires qui, quelquefois, prêtaient l'oreille aux commérages et aux plaintes de tous et chacun. Les fonctionnaires avaient plein droit de réengager ou de remercier leur personnel sans préavis, de façon impromptue. Malheureusement, leur bonne foi était parfois influencée par des jugements téméraires.

«À une assemblée des Commissaires d'écoles pour la Municipalité N° 1 des Grondines, tenue aujourd'hui, ce vingt-quatrième jour de mars mil huit cent soixante-douze, furent présents les Sieurs... Résolu unanimement de notifier Dlle..., enseignant dans l'arrondissement N° 3, de ne pas se fier sur un nouvel engagement pour l'année commençant le 1er juillet prochain, pour les raisons ci-dessous détaillées : Négligence dans ses devoirs, pour préférence des élèves en classe.

«Résolu unanimement de notifier Dlle..., enseignant dans l'arrondissement N° 4 de ladite Municipalité, de ne pas se fier sur un nouvel engagement pour l'année commençant le 1er juillet prochain pour négligence dans ses devoirs et pour punitions trop rigoureuses. En foi de quoi, nous avons signé...»

(Extrait d'un compte rendu d'une réunion)

Les commissaires, ces hommes majoritairement consciencieux, ont accompli leur fonction avec honneur et équité. De plus, ils ont su apprécier à leur juste valeur les institutrices dévouées et compétentes. Mais le bien ne fait pas de bruit. En raison de ce zèle discret, rendons un témoignage reconnaissant à tous ces loyaux membres de la commission qui ont, par leur jugement, contribué à maintenir longtemps un système éducatif qui, malgré les privation, a su faire beaucoup avec peu.

Par ailleurs, certains commissaires ont abusé de l'autorité qu'ils détenaient en usurpant des pouvoirs que ne leur accordait pas leur mandat. Voici, entre autres, quelques raisons authentiques mais injustes pour motiver la destitution d'une institutrice. Un homme dit à un voisin, commissaire d'école : « Si tu veux engager ma fille, je te vendrai, pas cher, un petit ‹beu› de race. Sa mére a remporté le premier prix à l'exposition.» Et, de fait, une institutrice exemplaire fut remplacée sans plus de cérémonie. «Tu devrais engager ma fille à l'école. Ça fait assez longtemps qu'Azélie fait l'école, et puis son pére est en moyen, il n'a pas besoin de ça.» Une institutrice qui ouvrait portes et fenêtres pour l'aération était épiée avec malveillance par le contracteur du chauffage. Le cher homme ne voulait pas chauffer le «douhors». Une chicane entre voisins et le besoin de vengeance pouvaient devenir le mobile du renvoi. La politique entrait aussi en considération. La sécurité de la profession était souvent remise en question.

La fréquentation de l'école par les élèves était entièrement libre. Alors, en raison de ce droit, l'aide familiale suppléait souvent à l'assiduité scolaire. D'autre part, les intem-

Ça prenait un dévouement de maîtresse d'école

Ces femmes de grand mérite qui ont dispensé l'enseignement jusqu'aux concessions les plus reculées ont largement contribué à l'évolution d'une nation libre.

Thérèse
S-1987

péries, les mauvais chemins, le manque de vêtements chauds s'ajoutaient aux raisons d'absentéisme. Malgré ces entraves, ajoutées à tant d'autres, l'institutrice devait inculquer la science avec des moyens rudimentaires à tous les écoliers du rang, partagés en différents degrés. Parfois le rendement scolaire ne répondait pas au dévouement de l'institutrice. Et pourtant, M. l'Inspecteur d'écoles évaluait la compétence de la maîtresse sur le résultat scolaire des enfants présents lors de sa visite annuelle, sans tenir compte des nombreuses raisons qui peuvent modifier le succès ou l'échec à un examen. En outre, la réputation professionnelle de l'institutrice dépendait de cette fameuse note qui variait entre « excellent » et « médiocre », réputation que le secrétaire-trésorier publiait à tout venant avec empressement.

M. l'Inspecteur avait aussi pour mission de surveiller l'état matériel des écoles de la municipalité et de contrôler la conduite des administrateurs. Aussi, à la suite du rapport des maîtresses, il exhortait les responsables à faire les améliorations qu'imposait le délabrement de certaines écoles. Il blâmait les règlements injustes des commissaires envers le personnel enseignant. Voici, entre autres, un extrait des archives : « 13 mai 1890. Messieurs, vous n'avez pas le droit d'obliger Mlle Marie Arcand de partir tous les dimanches après les Vêpres pour aller allumer le poêle et coucher à l'école le dimanche soir afin de réchauffer l'école pour lundi. Je crois qu'il y a là un abus qu'il faut de toute nécessité que vous répri-

miez le plus tôt possible. J'ose espérer que Mlle Arcand sera mise sur le même pied des autres institutrices et qu'elle aura désormais le plaisir de pouvoir passer le dimanche dans sa famille. [...]

« Messieurs, c'est étonnant que vous n'ayez pas encore jugé à propos de faire faire un puits et un perron pour l'école N° 2. L'institutrice est obligée d'aller quérir de l'eau chez les voisins et, pour cela, il lui faut, comme pour ses élèves, sauter du seuil de la porte sur le sol pour sortir de la maison et c'est très haut, vous conviendrez sans doute que cet état de chose est intolérable. Il faut donc porter à cela prompt remède. David Lefebvre, i.e. »

Que de vies héroïques sont restées dans l'ombre!

Le dimanche après-midi, surtout durant la saison dure, l'institutrice se rendait à sa classe en voiture en apportant les provisions pour la semaine, y compris la brassée de copeaux pour allumer le poêle. Une autre, plus éloignée, n'avait pour sortie que l'assistance à la messe dominicale grâce à un voisin qui voulait bien lui offrir une place dans la voiture familiale. Le soir, à la lueur de la lampe à l'huile, l'enseignante fidèle préparait sa classe à divisions multiples. La vie était pénible, et, de toute évidence, pour vaincre toutes les misères de la profession, il fallait un courage de maîtresse d'école. Ces femmes de grand mérite, qui ont dispensé l'enseignement jusqu'aux concessions les plus reculées, ont largement contribué à l'évolution d'une nation libre.

La p'tite école du rang

La maîtresse d'école s'était engagée à enseigner, à éduquer, à discipliner tous les enfants du rang, peu importe l'âge, l'intelligence ou le niveau scolaire.

Thérèse
S-78

Les réparations d'honneur

Les réparations d'honneur permettaient souvent, à l'époque, de régler à l'amiable un différend quand une des parties avait offusqué l'autre par des allégations diffamatoires. Autrefois, on se fâchait aisément pour des paroles qui blessaient la dignité. Une atteinte à l'honnêteté, à la réputation, ou une simple indélicatesse envers certains notables qui s'attribuaient une dignité arrogante représentaient des fautes graves pour lesquelles on exigeait de promptes rétractations publiques.

Après la messe du dimanche, les paroissiens se réunissaient sur le perron de l'église par petits groupes ; on causait des travaux de la semaine tout en écoutant les avis publics par le crieur* professionnel : entretien des chemins, chauffage des écoles, la criée pour les âmes, etc. Par la suite, la tribune d'annonces devenait libre pour celui qui était dans l'obligation de s'excuser publiquement pour un délit ou un dommage causé à autrui. C'était une coutume qui ne coûtait rien, monétairement parlant, mais qui était très coûteuse sur le plan moral. Le pauvre pénitent, gêné, humilié, souvent victime d'un rusé ou d'un provocateur, murmurait des excuses devant les curieux devenus silencieux et qui le fixaient moqueusement. Voici quelques exemples authentiques de ces réparations d'honneur.

Monsieur Isidore commande chez le forgeron une meule d'émeri. Un accord fut conclu de vive voix de part et d'autre au sujet de la qualité de la meule, de la circonférence désirée et du coût. À la livraison, M. Isidore s'aperçut que la meule ne correspondait pas à ce qu'il avait demandé. Alors, une discussion s'engage devant témoins. Isidore, dans sa colère, exprime sa pensée par des paroles directes ; malheureusement, toute vérité n'est pas bonne à dire. Ti-Médé ne peut souffrir une telle blessure à sa soi-disant honnêteté. Par conséquent, il réclame de son client une rétractation publique. Conseillé par son notaire, afin d'éviter un procès, Isidore, avec un courage héroïque mais blessé moralement, s'exécute à la porte de l'église en exprimant des paroles de louange à un adversaire hypocrite.

Pour bâtir une école, les contribuables devaient se cotiser à parts égales pour en assumer

La criée

Après la messe du dimanche, les paroissiens se réunissaient sur le perron de l'église pour écouter les avis publics : entretien des chemins, chauffage des écoles, la criée pour les âmes, les réparations d'honneur.

les coûts. Dans un rang, un jour, le besoin d'une nouvelle construction devint pressant. Les citoyens, après une entente majoritaire, décident de construire leur propre école. Octave, n'ayant pas d'enfant, s'oppose à la construction. Doué d'un esprit critiqueur, il surveille étroitement les travaux de la bâtisse. Un dimanche après-midi, profitant de l'absence de l'entrepreneur, il s'amène sur les lieux avec plusieurs intéressés du secteur et se met à faire ressortir les défauts de la structure. Il sème le mécontentement dans les esprits tant et si bien qu'il en résulte un blâme adressé au menuisier chargé du contrat. Celui-ci, voyant sa réputation menacée, fait inspecter son ouvrage par un spécialiste renommé. L'expert considère la bâtisse comme étant conforme aux règles concernant les édifices publics. La décision vient de porter un coup mortel à Octave. Notre notable, orgueilleux, pionnier du rang, fut contraint de s'excuser publiquement auprès de ce petit «bas-du-cul», disait-il à ses intimes. Quelle humiliation!

Un rentier du village se fait insulter par un habitant des rangs au sujet d'une corde de bois de chauffage. L'acheteur s'était appliqué à corder le bois de manière à laisser le moins d'espace possible entre les quartiers, ce qui fait que la mesure n'était plus exacte. La mesquinerie agace notre bûcheron, qui n'a qu'un vocabulaire bien pauvre pour exprimer son mécontentement. Sa réplique, dépourvue de délicatesse, lui vaut une réparation d'honneur. Après la grand-messe, selon la coutume, Ti-Toine exécute sa punition en fanfaron: «Mesdames et Messieurs, j'ai traité monsieur Louis

de grosse vessie jaune. Je m'excuse. Je ne sais pas si elle est jaune ou d'une autre couleur, je ne l'ai jamais vue.» Le digne citoyen ridiculisé par ce grossier venait de recevoir gratuitement un surnom gênant.

La ruse de certains ancêtres était parfois excessive. Quelques-uns faisaient même preuve d'acharnement pour sortir vainqueurs d'un désaccord. Le «Serin» était reconnu maître dans l'art d'échapper aux peines correctionnelles pour ses nombreux délits. Dans une chicane au sujet d'une clôture, il avait accusé son voisin de tous les vices, sans aucune preuve, devant un inspecteur municipal. Après la tempête, le «Serin» est sommé de s'excuser à la porte de l'église ou de payer une amende de cent dollars. L'adroit filou veut bien reconnaître ses torts et demander pardon. Il prend en effet deux témoins et va faire la rétractation en bonne et due forme à la porte de l'église une heure avant la messe. À ce moment, l'absence de tout curieux n'offensait pas son amour-propre, et il respectait d'autre part la mise en demeure parce que celle-ci ne précisait pas: «après la messe». Donc, les exigences de la sanction étaient exécutées selon la formule mais non selon l'usage. Ainsi, le «Renard» s'en est tiré glorieusement.

À cette époque, la réputation des jeunes filles était sacrée. La moindre atteinte à la dignité d'une demoiselle blessait moralement les membres de sa famille. Le châtiment était requis afin de punir celui qui se rendait coupable d'une telle vilenie.

Un jour, un jeune garçon, éconduit par une jolie fille, fut offensé douloureusement et

Le magasin général

Le magasin général était un lieu de rencontre, de loisir, de flânerie, et parfois aussi de disputes et d'engueulades qui se terminaient par une réparation d'honneur.

devint tourmenté par la jalousie. Malencontreusement, à un rassemblement, les circonstances ont permis la rencontre de l'amoureux éconduit et du rival qui lui avait «fait manger de l'avoine*». Irrité amèrement, Arthur apostrophe brusquement Eugène, qui jouissait des faveurs de la jeune Clorinthe : «Tu n'as pas besoin de faire tant ton frais*, lui dit-il, quand ben même que tu irais voir le cul bleu* à Didâs.» Ces paroles, qui portaient atteinte à la réputation distinguée de la demoiselle et aussi à l'honorabilité du parti politique du paternel, furent rapportées à l'intéressé. Pour une telle injure, le père de l'insolent mineur est sommé d'effacer la faute par une amende de vingt-cinq dollars ou par une réparation d'honneur. Pauvre Olivier! Ne possédant pas la somme exigée, il opte pour la rétractation publique. Après la messe, bien gêné, profondément humilié, il s'exécute péniblement : «Mon garçon, Arthur, a dit des choses qui ne sont pas vraies, il a dit au magasin à Faïda que mademoiselle Clorinthe avait le cul bleu. C'est des menteries. La demoiselle a le cul comme les autres.» Soulagé d'avoir satisfait aux exigences très coûteuses de la réparation, il ne s'était aucunement rendu compte de la bévue commise...

Les rudes colonisateurs manquaient souvent de délicatesse dans l'expression de leurs sentiments. Plessis représentait bien le type excentrique dont le caractère était influencé par le dur labeur. En outre, les patois du terroir que le gros Plessis adressait à ses victimes quand il était en colère étaient très désagréables à recevoir. Un jour, il servit une suite d'injures à une institutrice, et il fut obligé de se rétracter à la porte de l'église. Donc, après la messe, et selon les conventions, le mastodonte monte lentement les marches du «criard.» Plessis appuie les mains sur la rampe et, dans un comportement tout à fait inhabituel, il attire l'attention des gens en criant avec force : «Approchez, approchez, j'ai une réparation d'honneur à faire.» Les parents de la demoiselle dont la susceptibilité avait été offensée s'avancent les premiers en souriant. Tout le monde était à l'attention, figé par cet appel inaccoutumé à une confession qui, d'ordinaire, se faisait le plus discrètement possible. Et de sa grosse voix de charretier, sans aucune gêne, il profère l'insulte suivante : «La maîtresse d'école, la Paquet, c'est une sacrée vache, une sacrée truie, je vais lui en chier une réparation d'honneur.» Cet incident a tellement marqué l'esprit des jeunes que, même quatre-vingts ans après, ce souvenir était raconté par un vieillard qui, alors enfant, avait assisté à cette scène inusitée. «Je m'en souviens comme si c'était hier», racontait-il.

Les bohémiens

« Les bohémiens s'en viennent! Les bohémiens s'en viennent!» À la vue des chariots, les enfants lancent ce cri d'alarme et courent à la maison pour se cacher comme des poussins qui redoutent un danger et vont se dissimuler sous leur mère.

À peu près chaque mois durant la belle saison, les bohémiens déambulent en voiture sur les routes de la province; même les chemins les plus reculés sont connus de ces nomades qui savent admirer les splendides paysages des coins isolés. Deux ou trois voitures, munies d'un toit de toile, abritent quelques familles. Cette petite tribu se promène sans but précis apparent. Deux chevaux tirent chaque voiture et deux autres bêtes de somme suivent, liées par un licou. Cinq ou six chiens accompagnent cette caravane et un gardien, un fouet à la main, ferme le cortège.

Ces gens étaient rusés et toujours disposés à changer de chevaux moyennant un retour de quelques dollars. Malgré la méfiance qu'on entretenait à leur endroit, ils réussissaient à faire des échanges presque toujours à leur avantage.

La nature offrait à ces gitans des endroits ombragés pour se reposer. Un bon feu en plein air leur permettait de cuire leurs aliments, et de se réchauffer s'il faisait froid. Les jardins sont remplis de légumes; pourquoi n'y en aurait-il pas une part pour eux? À la rentrée des troupeaux à l'étable, ils mendieront une chaudière de lait chaud. Et en cas de nécessité, la traite d'une vache près de la route comble un besoin immédiat. Le pâturage le long du chemin nourrit les chevaux à satiété. Quand vient le soir, on dort sur des paillasses dans les voitures, sans inquiétude du lendemain. C'est la vie en liberté, sans souci des convenances sociales.

Une caravane pouvait camper une semaine au même endroit, sur un site de son choix, par exemple près d'une rivière. Avec la permission du propriétaire des lieux, des bohémiens fabriquaient des chaises berçantes, de petites tables avec le bois des arbres qui s'élevaient à proximité de leur installation provisoire. Le produit de la vente de ces articles leur procurait le nécessaire. Leur ambition était limitée à l'essentiel.

Un autre groupe de bohémiens donnait

un spectacle dans les villages, à un endroit où un rassemblement était possible : en face de la forge, sur la place de l'église après la messe du dimanche. Là, un dompteur luttait avec un ours muselé ; puis, obéissant de mauvaise grâce à l'ordre d'un fouet, l'animal aux yeux peu rassurants et dans un grognement caverneux grimpait dans un poteau qu'il ébranlait par son poids. Les acrobaties d'un singe amusaient bien les gens, et pour terminer cette scène, l'orgue de barbarie chantait « Mademoiselle, mettez-vous belle, si vous voulez vous marier. »

À la fin du spectacle, les gens déposaient une pièce dans le chapeau tendu afin de quêter une récompense bien méritée. Le cirque ambulant continuait sa marche vers le village voisin pour recommencer le spectacle.

À l'automne, ces gens se dirigeaient vers la Nouvelle-Angleterre pour descendre vers les contrées qui jouissaient d'un climat qui leur permettrait de vivre au soleil et au grand air. Ces gens aux coutumes pittoresques ont laissé un souvenir imprégné de mystère.

Les bohémiens

Durant la belle saison, les bohémiens déambulent en chariots au toit de toile sur toutes les routes de la province. C'est la vie en liberté ; cependant, leur comportement déplaît à nos bonnes gens.

Les quêteux

Autrefois, les pauvres n'avaient pour toute ressource et pour tout refuge que la charité publique. Celui qui était pourvu d'un cœur généreux avait souvent l'occasion de goûter à la joie de donner.

Il y avait à l'époque deux types de mendiants : ceux qui étaient devenus pauvres par malchance et les quêteux* professionnels. Voici quelques exemples du premier type : les enfants d'une pauvre veuve qui n'ont d'autres moyens de subsistance que le produit de la quête ; une autre famille dont le père malade ne peut pas travailler ; une pauvre vieille, vivant seule, dépourvue du nécessaire, etc.

On avait mis sur pied une façon de les aider, une méthode appelée « pain bénit » ; pendant les saisons froides, des familles hébergeaient pendant un mois les personnes privées de ressources suffisantes. Les pauvres qui étaient dans le besoin vivaient ainsi quelque temps chez l'un, puis ils passaient chez le voisin. Ils bénéficiaient d'une hospitalité généreuse. En compensation, ils rendaient des services selon leur capacité et leurs aptitudes, tout en étant traités comme des invités. À l'été, ces mêmes personnes indigentes reprenaient leur vie indépendante et paisible. Ils logeaient dans une cabane ou une vieille maison et se nourrissaient des produits de la pêche et du jardin.

Les quêteux de carrière étaient différents de ceux que la malchance avait rendus indigents. Ces quêteux se plaisaient à mener une vie de bohème en parcourant les routes à l'aventure. Ils s'arrêtaient d'une maison à l'autre afin de solliciter la charité pour l'amour du bon Dieu. Ils n'auraient jamais échangé les imprévus d'une vie libre pour une existence sédentaire, rivée à des habitudes routinières.

Ti-Charles Gosselin, qui fréquentait entre autres la région de Grondines, était l'image même du bon quêteux qui savait communiquer sa belle humeur, cette joie de vivre que procure le détachement des biens matériels. En l'apercevant, les enfants couraient à sa rencontre et se dépêchaient d'aller annoncer la venue de leur ami.

Un sac, suspendu au bout d'un bâton appuyé sur son épaule, contenait tout son avoir. À la demande des jeunes, il exécutait le chant de la « Grenouille » suivi de la « Berlute », puis

Le bon quêteux

Le bon quêteux savait communiquer sa belle humeur, cette joie de vivre que procure le détachement des biens matériels.

Par une belle journée, le bon quêteux fait sa lessive et, en attendant que le soleil du bon Dieu sèche son linge, il fume tranquillement sa pipe. Rien ne le presse ni ne l'inquiète.

Thérèse
S-1985

il imitait le cri de plusieurs animaux. Enfin, quelques pas de gigue, qui ressemblaient plutôt à un dégourdissement, terminaient le concert. Ensuite, Ti-Charles demandait l'aumône bien discrètement: «Pourriez-vous me faire la charité d'une cenne* si ça ne vous l'ôte pas?» On peut s'imaginer qu'aucun refus n'était possible.

Par une belle journée, notre quêteux a demandé à une dame s'il pouvait laver son linge. La permission lui fut accordée immédiatement, et on s'empressa de lui fournir cuve et savon. Ti-Charles s'installa en face de la maison, enleva sa chemise, son pantalon. La décence était respectée puisqu'il garda ses longs sous-vêtements rapiécés d'étoffes de toutes dimensions et de toutes couleurs pour se protéger des coups de soleil. Après la lessive, le linge fut étendu à cheval sur la clôture. Après cet exercice, Charles s'assit sur un coussin de mousse recouvrant une roche et attendit le séchage de son linge en fumant tranquillement sa pipe.

Notre quêteux s'est marié cinq fois. Il gardera un souvenir attachant de sa première femme: «Laquelle de vos femmes avez-vous aimée le plus?» – «Ah! c'est ma première, ma Pauline.» – «Avez-vous des enfants?» – «Ah! non, moi, je me bâdre* pas de ça.» Cette conversation se répétait à chaque maison et à chaque visite.

Le curé McCrea refusa de le marier une quatrième fois. «Charles, j'te marie pas.» – «Ça me fait rien, M. le curé. Je vas me marier pareil. Je vas prendre deux témoins, puis on va aller devant un juge de paix. J'ai pas besoin de

vous.» Dans ce temps-là, personne n'aurait osé braver le curé McCrea, un homme imposant et sévère. Et pourtant, Ti-Charles a obtenu gain de cause. Il a fini ses jours dans un orphelinat à Québec. La bonne sœur Saint-Wilbrod le laissait sortir pour satisfaire son besoin de quêter. «Je fais ma petite run*», disait-il avec bonhomie.

Il y avait aussi des quêteux maussades et malveillants. Un jour, un de ces indésirables se présente à une maison isolée du quatrième rang. À la femme, qui était manifestement craintive, le grossier passant dit: «J'ai froid et j'ai faim. Fais-moi cuire une douzaine d'œufs.» Étant sûr de lui, il n'a pas vu le petit signe affirmatif que la jeune femme a fait après avoir jeté un coup d'œil vers la porte de la chambre. «Les œufs sont cher, répond-elle. Si tu veux, je vais t'en faire cuire trois.» – «C'est une douzaine que je t'ai dit! Et dépêche-toi, j'ai faim», cria-t-il d'une voix peu rassurante. En faisant le jars, il regarda casser dans la poêle de fonte, l'un après l'autre, le nombre d'œufs commandé. Le grossier personnage s'approche de la table gloutonnement, mais avant qu'il ait le temps de savourer le mets appétissant, P'tit-Charlette entre dans la pièce. Le qualificatif «petit» n'était pas tout à fait approprié, c'est le moins qu'on puisse dire. P'tit-Charlette saisit son fusil et s'assoit vis-à-vis de la seule porte de sortie. Cette apparition enlève complètement l'appétit de notre affamé. Cependant, P'tit-Charlette exige la disparition de l'assiettée bien garnie. L'insolent quêteux ne s'est pas laissé prier pour passer la porte lorsque celle-ci s'est entrouverte...

Le méchant quêteux

Quel spectacle! Eustache est assis et tient un fouet d'une main pendant que de l'autre, il égrène le chapelet. Zézion est à genoux sur les pois, qui ne peuvent rouler à cause du tapis. Les deux hommes répondent en duo aux *Ave* d'Alexandrine. Le méchant quêteux venait de recevoir gratuitement une leçon de bonne conduite.

Thérèse
S-1984

Durant la grand-messe, les maisons n'étaient occupées que par les très jeunes enfants, gardés par la mère ou la grande fille. Certains quêteux malfaisants choisissaient ce moment propice pour faire une visite et effrayer la maisonnée.

Un dimanche avant-midi, Alexandrine vit venir Zézion-Nez-Rouge, un de ces indésirables passants. Le père d'Alexandrine, un rude débardeur, venait tout juste d'arriver chez lui pour se reposer. Or, en apercevant l'oiseau de malheur, le gros Eustache eut l'idée de s'amuser et de donner une leçon de savoir-vivre à cet effronté.

Alexandrine, sur le conseil de son père, sortit sur le perron et, feignant la peur en voyant le méchant, fit aussitôt volte-face et s'empressa d'entrer. Zézion enjamba la distance pour pénétrer à la suite de la demoiselle à l'intérieur de la maison. La porte fut refermée à l'instant par le colosse, qui s'était caché derrière. «Ça fait longtemps qu'on n'a pas entendu la messe ensemble», dit Eustache. Et il ajouta : «Nous, nous disons le chapelet durant la grand-messe. Toi aussi, tu vas prier avec nous. Alexandrine, verse une assiettée de pois sur le tapis et toi, Nez-Rouge, tu vas te mettre à genoux dessus.» Quel spectacle! Eustache est assis et tient un fouet d'une main pendant que de l'autre, il égrène le chapelet. Zézion est à genoux sur les pois, qui ne peuvent rouler à cause du tapis. Les deux hommes répondent en duo aux *Ave* d'Alexandrine. Le méchant quêteux venait de recevoir gratuitement une leçon de bonne conduite.

Les plus redoutés des quêteux étaient ceux qui jetaient des mauvais sorts. Ces malins profitaient des naïfs et des faibles pour arriver à leurs fins. Un jour, Charles, qu'on appelait le sorcier, quêta du tabac à pipe chez une femme qui était seule à la maison avec de jeunes enfants. Au cours d'une tournée précédente, il avait vu la belle plantation de tabac, et il s'en attribuait déjà une provision. «Je n'en ai plus, de dire la dame. Mon mari a apporté toute la récolte aux chantiers.» – «Tu refuses de m'en donner? Tu vas le regretter. La plus belle vache de l'étable va crever», de répondre le quêteux maléfique. Dehors, face à la maison, bien en vue, il fit des simagrées et des gestes vraiment diaboliques. Et de fait, peu de temps après, cette étable comptait une vache de moins.

Quelque temps plus tard, le mari, de retour à la maison, attendait son homme qui immanquablement finit par repasser. En le menaçant, le cultivateur entraîna le quêteux à l'étable. «Aujourd'hui, c'est à l'étable, dans la place libre, que tu vas venir.» Après avoir essuyé une série de gifles, une dernière épreuve fut encore administrée pour assouvir la vengeance de celui qui avait été éprouvé par la sorcellerie du vilain mendiant. «Mets-toi à genoux dans le fumier et récite cinq *Pater* et cinq *Ave*», imposa le bûcheron. Après l'exécution de la pénitence, il menaça encore le gueux : «Va-t'en et ne reviens plus jamais, sinon, gare à toi.» Le quêteux qui jetait des sorts venait de «manger sa gratte», mais l'incorrigible continua son chemin en pratiquant le même métier.

Quelques quêteuses sont aussi passées à l'histoire. Marcelline Bravum ne quêtait que l'été; elle mangeait et se logeait en faisant du porte-à-porte. En hiver, elle demeurait dans une vieille maison. Les gens allaient lui porter du bois de chauffage et de quoi se nourrir. Dans ce temps-là, la générosité pour les pauvres de la paroisse était admirable.

Chaque dimanche, Marcelline allait se confesser avant la messe. Or, un plaisantin entra dans le confessionnal à la place du prêtre, qui n'était pas arrivé, et il attendit la vieille Marcelline. Celle-ci ne tarda pas à se présenter, selon son habitude, et pénétra dans la cabine du pénitent. «Au nom du Père et du Fils et du Saint-Esprit, mon Père, je m'accuse...» – «Arrête, Marcelline, c'est Jean.» – «Mon bougre de chien, c'est toé!» Jean sort en courant, poursuivi par Marcelline: «Ah! si elle m'avait attrapé, elle m'aurait tué.» Les jeunes prenaient plaisir à jouer des tours à Marcelline parce qu'elle était naïve et très coléreuse.

Marguerite-mon-Taureau quêtait dans une voiture traînée par un bœuf. Elle fumait la pipe et sacrait comme un démon quand elle était contrariée. La quêteuse quémandait de la viande, du tabac, de l'avoine pour son bœuf, etc. Ces effets étaient entassés avec ses enfants crottés dans la voiture. Quand arrivait la nuit, ce n'était pas une mince affaire que de loger la quêteuse et sa suite. Mais on était charitable, car les vieux ont toujours dit que Marguerite-mon-Taureau n'a jamais couché dehors.

Un curé original

Jadis, les curés ont grandement aidé les fidèles de leur paroisse. Grâce à leur influence et à leur prestige, ils ont contribué à la survie d'un peuple qui est resté debout. Cependant, quelques-uns ont marqué l'histoire par l'exercice d'une autorité quasi absolue, par la sévérité des enseignements ou par l'originalité de leur conduite.

Le curé Robert est un de ces personnages colorés. Il s'est plu à jouer la comédie avec un air ingénu, avec une expression sérieuse, parfois en piquant quelqu'un avec une innocence apparente ou tout simplement pour accentuer son originalité. Voici quelques faits authentiques témoignant de la bizarrerie de ce curé de campagne.

À l'investiture de sa nouvelle cure, l'abbé Robert s'est présenté au volant de sa vieille bagnole, escorté d'un bon nombre de ses nouveaux paroissiens qui étaient allés à sa rencontre. À son arrivée, il fit attendre quelque peu le vicaire forain, venu introniser le nouveau directeur spirituel de la paroisse, et ses ouailles assemblées dans l'église. C'est qu'avant la cérémonie, il est d'abord allé déposer au presbytère ses chats emprisonnés dans des cages qu'il avait transportées dans sa voiture. Ce léger retard n'a aucunement affecté l'accueil bienveillant de la population, heureuse de la nomination du nouveau curé, homme d'expérience et appartenant à une famille prestigieuse.

À la grand-messe du dimanche, le cérémonial était ponctué lentement. L'abbé Robert montait à l'autel, saluait profondément le tabernacle, puis se dirigeait vers la droite, ouvrait le missel et, discrètement, prenait une bonne prise de tabac avant de dissimuler sous le lutrin une petite boîte ronde de métal. Il revenait au milieu de l'autel chanter face au peuple *Dominus vobiscum.* Il retournait au livre ouvert, prenait encore une bonne prise avant l'*Oremus,* puis le rythme de la messe se déroulait pieusement.

Cependant, la prédication était longue. Il profitait de son sermon pour faire des remarques particulières à une personne ou à un groupe qui agissaient en contradiction avec les coutumes, comme ces jeunes universitaires qui ont refusé de recevoir le sacrement de pénitence avant leur mariage. Ils s'étaient confessés la veille, disaient-ils. « Le sacrement de mariage est un sacrement des vivants. Vous ne me ferez pas accroire que ces jeunes sont en état de grâce quand on sait qu'ils ont le feu... » Pour comble, le matin des noces, il pleuvait si fort que la mariée attendit que le plus fort de l'orage se soit calmé avant d'entrer dans l'église. Pendant ce temps, le ministre et tous les invités étaient patiemment assis dans l'église. « Ah ! ajouta-t-il en chaire, moi, je la ferai attendre à mon tour. »

À l'homélie du dimanche entre Noël et le jour de l'An, le curé a parlé de la décence de certaines tenues vestimentaires, notamment pour la baignade. « Quand on se baigne, pourquoi enlever son scapulaire ? Un jour, une jeune fille a été sauvée de la noyade parce qu'on a vu son scapulaire qui flottait. Pourquoi se déshabiller quand il fait chaud ? Moi, je porte toujours ma soutane et je n'ai jamais chaud. Un bon cheval est capable de garder son harnais. » Bafouant cet avertissement, des adolescentes prirent un bain de soleil à l'arrière de leur maison, malgré l'opposition de leur mère qui craignait des remarques désobligeantes. Et de fait, le dimanche suivant : « Ah ! c'est beau, c'est grand, mais c'est écœurant. » Lorsque les dames ont dérogé à l'usage du port du chapeau pour entrer dans l'église, le curé a riposté en apostrophant celles qui osaient se présenter dans les lieux saints sans coiffure : « Nous avons eu la tribu des Iroquois, la tribu des Hurons, et maintenant nous avons la tribu des têtes nues. » Ses sermons étaient presque toujours ponctués

d'une flèche ou d'une raillerie.

La « passée » de Monseigneur était un événement solennel, surtout dans les paroisses rurales, parce que l'évêque ne venait confirmer les enfants que tous les quatre ans. Lors de cette réception officielle, l'abbé Robert, qui était à ce moment-là curé d'une paroisse de pionniers, ne pouvait offrir qu'un cérémonial modeste. Le chœur de la petite église ne possédait pas de baldaquin. Ingénieux, le curé fit installer le « top d'un boghei » et l'évêque présida la cérémonie religieuse sur un trône couronné.

L'abbé Robert avait beaucoup d'humour lorsqu'il voulait irriter l'amour-propre de quelqu'un. Pour recevoir Monseigneur Noël, qui venait confirmer les enfants au mois de mai, il fit ajouter aux décorations habituelles de l'église une longue et large banderole à la façade du jubé, portant l'inscription suivante : Joyeux Noël ! Pour se justifier, il dit à son sacristain : « Tu comprends, les évêques se paient un peu notre tête. C'est à notre tour. »

Le protocole de l'accueil et du service des repas à l'occasion de la visite de l'évêque causait aux ménagères des presbytères de l'inquiétude et parfois même des cauchemars. Angélina, ménagère de l'abbé Robert, allait et venait allègrement malgré ses nombreux printemps. Elle était fière de l'attention minutieuse qu'elle avait apportée aux préparatifs pour la réception de Son Excellence. Malheureusement, elle commit l'erreur d'ajouter au potage du soda plutôt que de la fécule de maïs, ce qui à l'instant fit gonfler la crème de tomates qui se répandit sur le poêle à bois, causant une odeur âcre et une fumée dense et noire.

Comme un malheur n'arrive jamais seul, Monseigneur frappa à la porte. «Ah! Monseigneur, dit-elle, je ne vous attendais pas si tôt. Excusez ma toilette.» Sa chevelure, enroulée en forme de toque sur le sommet de sa tête, laissait tomber des cheveux rebelles sur une blouse rose en flanelle. Elle portait une jupe ample d'étoffe foncée, les bas de son père, en laine du pays, retombaient sur de larges pantoufles. Enfin, l'arrivée du curé mit fin à cette situation embarrassante.

Un nouveau potage, cette fois bien réussi, fut savouré par les hôtes. Pendant ce temps, Angélina, soucieuse de la bienséance, alla battre le steak* sur l'établi du hangar pour éviter le bruit. Chaque coup de marteau faisait voler la poussière qui retombait comme des épices sur la viande. Le repas terminé et les convives retirés, Angélina dit d'un ton confus: «Ah! excusez-moi, Monseigneur, j'ai oublié mes galettes au four avec des amandes dessus.»

À la visite de l'évêque, les dirigeants des mouvements de la paroisse étaient conviés pour un entretien avec le prélat à la salle publique. Lors de la présentation de chaque membre, le curé ne manquait pas d'ajouter un mot d'esprit, une pointe de malice ou de moquerie.

Amant de la nature et du terroir, l'abbé Robert exploitait la terre de la Fabrique. Chaque matin, après avoir fait la traite, tenant la laisse de sa vache Henriette, il allait la conduire au pré. Devant l'église, la vache annonçait son passage par le bruit de la cloche qu'elle portait au cou. Ensuite, cet homme d'église célébrait la messe et distribuait la communion. Un jour, une dame assidue à l'Eucharistie s'exclama en disant: «Ah! il faut avoir la foi.»

L'abbé Robert avait le don de la parole et sa répartie était vive. À une réunion du conseil municipal d'une paroisse voisine, il fut invité à prendre la parole. Il se leva lentement, les bras ouverts et il dit à l'assemblée: «Nous allons tous nous retourner vers le crucifix pour une courte prière.» Tout le monde se leva en tournant la tête. Il n'y avait pas de croix. Avec un tel préambule, son message était assurément capté par son auditoire.

L'abbé Robert était un homme cultivé, éloquent et musicien dans l'âme. Il a enseigné le chant grégorien pendant de nombreuses années.

Plusieurs années après le départ de leur curé, des paroissiens, dignes de foi, racontaient des faits extraordinaires accomplis par l'abbé Robert.

Voici l'un de ces événements. Une femme, à son onzième accouchement, était condamnée à mourir. Le médecin désespéré alla confier au curé l'impuissance de sa science pour sauver la vie de cette mère de famille. L'abbé Robert se rendit auprès de la malade alitée. Il pria et bénit la mère et la famille éplorée. Une relique de sainte Anne fut enfouie sous l'oreiller. Deux semaines plus tard, la mère accoucha normalement et miraculeusement.

L'abbé Robert n'a jamais offensé gravement, car ce prêtre profondément religieux a

Un curé original

Amant de la nature et du terroir, l'abbé Robert exploitait la terre de la Fabrique. Chaque matin, après avoir fait la traite, tenant la laisse de sa vache Henriette, il allait la conduire au pré. Devant l'église, la vache annonçait son passage par le bruit de la cloche qu'elle portait au cou.

Thérèse
S-80

toujours exercé son ministère avec un dévouement inlassable et une piété profonde. Malgré certaines extravagances et des comportements excessifs, il a laissé un bon souvenir dans la mémoire de ses paroissiens.

La « passée » de l'évêque

C'était une grande fête religieuse et divertissante dans nos paroisses rurales quand l'évêque venait confirmer les enfants tous les quatre ans. Les décorations de la Fête-Dieu ornaient les maisons le long du parcours de Monseigneur. Les fidèles qui ne pouvaient se rendre à l'église se faisaient un devoir de manifester leur respect à l'autorité religieuse en se mettant à genoux sur les galeries ou près du chemin pour recevoir la bénédiction de leur évêque. Tout le monde était endimanché et les dames portaient leur plus beau chapeau. Le foin sur le bord du chemin et des devantures des maisons était fraîchement coupé à la faux.

Toutefois, c'est à l'église et en bordure de l'allée qui conduit au presbytère que la fébrilité se manifestait le plus intensément. Les marguilliers, aidés de bénévoles, s'efforçaient de rendre digne et grandiose l'accueil de Son Excellence. L'ordre, la propreté et l'embellissement de l'église et de ses abords devaient régner le plus parfaitement possible. Le drapeau papal était hissé au mât devant le presbytère.

Bientôt, une foule de gens bordaient le chemin entre l'église et le presbytère. Tout ce monde, paré de ses plus beaux atours, attendait silencieusement.

Dans certains villages, le curé annonçait au prône la visite de l'évêque avec l'invitation d'aller au-devant de Monseigneur à la limite de la paroisse. Donc, à la frontière, l'évêque changeait de voiture et une nouvelle escorte accompagnait à son tour la noble visite.

Au cri de « il s'en vient », lancé par un éclaireur, les cloches se mettaient à sonner à toute volée. La procession ralentissait son pas ; seules la première voiture et la suivante, qui transporte les valises du dignitaire, s'engagent dans l'allée du rassemblement. Les autres voitures qui sont allées au-devant de Monseigneur passent outre. L'évêque bénit cette foule qui s'agenouille en s'inclinant à son passage.

Après l'entrée de Monseigneur au presbytère, une autre procession se forme en attendant la sortie de l'évêque. La croix est portée par un servant accompagné de deux clercs qui tiennent chacun un chandelier. Les trois acolytes sont vêtus d'une soutane violette et d'un surplis blanc. Les enfants de chœur suivent, précédant le curé qui porte le surplis et la barrette. Viennent enfin les quatre marguilliers gantés qui transportent le dais. Après un court laps de temps, l'évêque apparaît, revêtu de ses vêtements de cérémonie et coiffé de la mitre. Il s'avance sous le dais et le défilé se met en branle. De sa main droite, Monseigneur bénit la foule qui s'agenouille, et de sa main gauche, il porte la crosse, symbole du pouvoir épiscopal.

À mesure que le dignitaire avance, la foule ferme les rangs derrière le dais jusqu'à l'entrée de l'église. Puis Son Excellence avance vers l'autel. Toutes ces bonnes gens écoutent avec respect et soumission les exhortations de leur évêque. Les prêtres des paroisses voisines apportent quant à eux leur collaboration à une séance de confessions.

Après souper, l'évêque, portant le chapeau romain avec ruban vert et glands, le camail, la croix pectorale et le ceinturon violet, faisait quelques visites aux malades et aux vieillards, accompagné du curé de la paroisse. Un tel privilège laissait un souvenir inoubliable à toute la maisonnée qui avait reçu une bénédiction personnelle.

Le lendemain défilent de nouveau les chevaux bien étrillés, attelés aux voitures dans lesquelles prennent place les confirmands et leurs parents. Dans ce temps-là, presque chaque famille avait un, deux et même parfois trois enfants à présenter à l'évêque car, depuis la dernière visite, les petits avaient grandi en nombre et en âge. Les filles, vêtues de blanc, étaient coiffées du voile et de la couronne de première communion. Les garçons, bien mis dans leurs vêtements neufs, portaient le brassard au bras gauche. Les brassards étaient souvent prêtés d'une famille à l'autre, mais les vêtements étaient confectionnés à la maison et fréquemment taillés dans de vieux vêtements.

Tous les confirmands se dirigeaient vers la sacristie, guidés par les institutrices. Les enfants prenaient leur rang par grandeur ascendante en deux files, l'une de filles et l'autre de garçons. Cette jeunesse, qui prendra bientôt la relève, avançait lentement dans l'allée centrale.

Au moment solennel de la confirmation, l'évêque s'assoyait au pied de l'autel, tandis que ses assistants, curé et vicaires, se tenaient debout, en ligne à ses côtés. Un marguillier et son épouse, mandataires de tous les parrains et marraines des confirmands, s'avançaient, baisaient la bague de l'évêque puis reculaient de trois à quatre pieds. Enfin, les confirmands s'avancent, portant chacun une petite carte entre l'index et le majeur de leurs deux mains appuyées l'une sur l'autre. Sur la carte sont inscrits leur nom et celui de leur marraine ou de leur parrain respectif. L'un après l'autre, les enfants reçoivent les grâces sacramentelles de la confirmation. C'est un moment émouvant pour l'assistance.

Après dîner, une rangée de chevaux attelés à des voitures de promenade trépignent sous leurs harnais ornés de décorations métalliques. Le départ de Monseigneur est souligné par le même cérémonial que son arrivée.

La confirmation

C'était une grande fête religieuse et divertissante dans nos paroisses rurales quand l'évêque venait confirmer les enfants tous les quatre ans.
Une foule de gens bordaient le chemin entre l'église et le presbytère. Monseigneur, s'avançant sous le dais, bénissait la foule recueillie qui s'agenouillait à son passage.

Thérèse
S-1987

Les pèlerinages

L'histoire de nos ancêtres nous porte souvent à respecter leur œuvre et à évoquer le souvenir des activités sociales qui alimentaient leur union, leur amour et leur force. Évidemment, un des rassemblements les plus populaires de ce temps-là avait pour motif la dévotion à sainte Anne. À cette occasion, les pèlerins s'embarquaient à bord des premiers bateaux à vapeur qui faisaient la navette sur le Saint-Laurent d'une rive à l'autre. C'était de joyeuses retrouvailles.

Le pèlerinage à Sainte-Anne-de-Beaupré était un événement important et riche d'aventures pour les gens de cette époque. Le réveil n'était pas languissant au matin de ce jour attendu avec une hâte fébrile. La marée et la distance des demeures au quai d'embarquement déterminaient l'heure du départ de la maison. Les préparatifs étaient planifiés et tout était effectivement prêt la veille de cette excursion en bateau. Les grosses familles n'étaient pas toutes représentées au complet à la fête parce que les coûts de trente cents pour chaque enfant de moins de dix ans et de soixante cents pour les adultes représentaient une forte

somme pour des gens peu fortunés. Par contre, une marraine ou une tante généreuse assumait parfois les dépenses d'un enfant privilégié afin de le faire participer à ce pèlerinage dont il se souviendrait toute sa vie.

Chaque année, tante Vitaline amenait en pèlerinage ses neveux et nièces orphelins qui demeuraient à côté de chez elle. Comme ils habitaient assez loin du quai d'embarquement, le départ devait s'effectuer à deux heures du matin. La famille prenait place dans la « planche à deux becs » (voiture dont les sièges sont dos à dos) menée par un cheval de trait dans des chemins boueux et rocailleux. Durant le trajet, les *Ave* étaient entrecoupés par les exclamations des enfants et par toutes sortes d'autres sujets que suggérait le paysage qui défilait sous les yeux. On parlait des récoltes, des voisins, de leur maison, etc. Tante Vitaline évoquait ses souvenirs et apprenait aux jeunes des anecdotes à propos des ancêtres du village. C'est ainsi que, dès le bas âge, l'intérêt pour l'histoire était semé chez cette jeune génération qui se plaira à perpétuer la tradition orale.

Les pèlerinages

Autrefois, les pèlerinages à bord de *L'Étoile* étaient pour nos ancêtres des événements importants et riches d'aventure.

De tous les rangs et des paroisses éloignées de la rive du fleuve, les pèlerins aboutissaient au quai pour attendre *L'Étoile,* un bateau de transport qui devait accoster à marée haute. Ce groupe de voyageurs de tous âges, bruyants, joyeux, apportant pour bagage le repas pour les deux jours de voyage, se joignait alors aux passagers de la rive sud, déjà à bord.

Les vieilles connaissances renouaient leurs amitiés. Plusieurs d'entre elles avaient l'occasion de se rencontrer souvent, non seulement à l'occasion de ces dévotions, mais parce qu'elles utilisaient le même transport pour aller au marché à Québec. D'ailleurs, on se connaissait bien puisque le chemin balisé sur le fleuve glacé favorisait les échanges entre les habitants de la rive nord et ceux de la rive sud. Autrefois, l'obstacle du fleuve était facilement vaincu.

Les personnes pieuses s'assemblaient près de l'harmonium et le chœur chantait avec ferveur des cantiques à la bonne sainte Anne. Pendant ce temps, les jeunes gens se regardaient furtivement, se souriaient et délicatement se faisaient la cour. Ah! si le pont de *L'Étoile* voulait parler. Que de débuts d'amourettes il a été témoin! Plusieurs mariages sont nés de ces pèlerinages.

Le bateau zigzaguait d'une rive à l'autre afin de recueillir les pèlerins. À l'approche d'un port, les passagers, ayant une grande envie de connaître les nouvelles figures qui attendaient sur le rivage, s'approchaient du bord pour mieux satisfaire leur curiosité, ce qui avait pour effet d'incliner le bateau. À chaque arrêt, le capitaine donnait l'ordre de répartir le poids afin de faciliter l'accostage. Moqueusement, il promettait un beau cavalier* aux demoiselles qui suivaient son ordre, et à l'intention de tous, il ajoutait: «Attendez, vous aurez l'occasion de les voir encore de plus proche.»

Lorsqu'un gros navire apparaissait en sens inverse dans le chenal, le capitaine, homme prudent qui craignait les trous de mémoire de quelques curieux, renouvelait son ordre en pointant les fautifs avec une baguette, comme un maître d'école, afin de donner plus de force à sa consigne. On risquait en effet la submersion si l'inclinaison causée par une mauvaise répartition du poids devenait trop prononcée.

Le voyage était ponctué d'exercices pieux, de cantiques, de prières, de conversations et de promenades sur le pont. À l'arrivée, l'empressement général menaçait encore l'équilibre: «Attendez! Attendez! il y a des grâces pour tout le monde», répétait le capitaine. Cette exhortation avait pour effet de ralentir quelque peu le défilé de ce contingent dévot.

Les pèlerins suivaient les exercices de dévotion avec ferveur, espérance et foi. Le coucher à l'hôtel, au coût de cinquante cents par adulte et de vingt-cinq cents par enfant, présentait un autre agréable moment. Peut-être qu'on ajouterait aux provisions apportées un thé et des gâteries au restaurant. L'achat d'objets de piété achevait d'épuiser le budget prévu.

Au cri strident de *L'Étoile,* les pèlerins satisfaits revenaient à leur bateau par groupes. Évidemment, le retour était animé par une conversation joyeuse, amicale et démonstrative. Cependant, chaque débarquement brisait l'harmonie des sentiments nés durant le voyage.

Le souvenir d'un pèlerinage en particulier est passé à l'histoire. Les passagers de *L'Étoile* ont failli être victimes d'un naufrage. À peine le bateau avait-il pris le large pour effectuer le retour qu'une grosse tempête s'éleva, voilant le ciel et le fleuve. Les vents soulevèrent d'énormes vagues et le balancement brusque du navire fit danser tous les objets mobiles : vaisselle, meubles et autres. En outre, les éclairs, le tonnerre et les craquements achevèrent d'effrayer les passagers.

Ceux-ci, pris de panique, s'entrelaçaient et espéraient inconsciemment trouver un peu de courage dans cette union. Hélas ! la pesanteur du groupe assemblé au même endroit déséquilibra le bateau. Le capitaine Paquet donnait en vain des ordres dans le but de disperser l'attroupement afin de redresser le navire. « J'aime mieux transporter des animaux », leur disait-il, mais la panique ne se domine pas facilement. Les prières étaient entrecoupées de cris de désespoir et les enfants, apeurés, s'agrippaient à leurs parents.

Qu'ils sont terrifiants les moments oscillant entre la vie et la mort ! Que valent en cet instant richesse, santé, volonté, science contre les éléments déchaînés ? Néanmoins, et au grand soulagement de tous, la tempête s'apaisa peu à peu. Les passagers épuisés reprirent confiance et *L'Étoile* déposa à bon port les pèlerins sauvés des eaux.

Ce mémorable bateau à vapeur accomplissait aussi annuellement un pèlerinage à Cap-de-la-Madeleine. Le trajet étant plus court, l'aller et le retour s'effectuaient dans la même journée.

Avant d'accoster au lieu de dévotion à la Vierge Marie, un esprit de recueillement saisissait les pèlerins à la vue d'un prêtre coiffé de la barrette et revêtu de l'aube. Le prêtre, accompagné de deux enfants de chœur portant chacun un chandelier, recevait les pèlerins pour ensuite les conduire en procession au sanctuaire de Notre-Dame. Au cours de la journée, les exercices de piété et d'oraison alternaient, entrecoupés d'instants de repos pendant lesquels, grâce à cette atmosphère de paix et de joie, les relations entre les participants reflétaient l'amour de Dieu et du prochain.

Jadis, on se plaisait à se réunir en groupes pour prier, pour s'amuser, et bien sûr, pour faire ces pèlerinages. On éprouvait le besoin de se réunir. Il faut reconnaître le bien-fondé de la solidarité que nos ancêtres pratiquaient au sein de leur famille nombreuse et en société.

Les amours d'autrefois

L'amour est un élan spontané et naturel de la vie. Toutefois, chaque époque conditionne les comportements qui permettront d'extérioriser ce noble sentiment. Autrefois, lors des fréquentations de leurs filles, les parents étaient obligés par la religion, la morale et les mœurs du temps d'exercer une surveillance laborieuse et continuelle afin que les amoureux ne cèdent pas aux impulsions de leur cœur.

Lorsqu'un jeune homme désirait fréquenter une demoiselle, il se présentait au domicile de celle-ci pour lui demander la faveur de la veillée. Si l'accueil était bienveillant, le père l'accompagnait à l'écurie pour dételer le cheval. Au retour, les convenances exigeaient une causerie du prétendant avec la famille. Puis, sur l'invitation de la jeune fille, les « amoureux » passaient au salon et prenaient place sur des chaises assez éloignées l'une de l'autre. Durant tous les instants de la soirée, les services d'un chaperon étaient obligatoirement requis.

Les amoureux, ainsi privés de toute effusion, useront de moyens détournés pour s'effleurer. L'album familial servait souvent de prétexte pour répondre à un désir soupiré. Naturellement, pour regarder ensemble les photos, il fallait rapprocher les chaises. Si les deux têtes se rapprochaient un peu trop, le chaperon pouvait rétablir les convenances par une remarque du genre : « Voyons, mon jeune ami, vous n'avez pas peur d'attraper des poux ? »

L'usage des papermanes* d'amour était en vogue dans ce temps-là. Ces friandises étaient de grandes pastilles de menthe roses sur lesquelles on pouvait lire des pensées du genre « Je t'aime », « À toi seul mes pensées », ou autres flatteries. Pour se rendre séduisants, des garçons prodigues dépensaient parfois jusqu'à cinq sous pour se procurer un sac de ces bonbons qui caressaient le cœur, la langue, mais qui permettaient surtout le contact des doigts. On profitait du moment de la présentation du bonbon pour retenir les mains de la bien-aimée tant qu'elle n'avait pas lu la pensée mielleuse. Parfois, le rusé prolongeait cet attouchement outre mesure. La surveillante en fonction, qui ne pouvait tolérer un tel sans-gêne, interrogeait alors l'impertinent : « Monsieur, avez-vous fret* aux mains ? » Un tel

Les amours d'autrefois

Autrefois, lors des fréquentations de leurs filles, les parents étaient obligés d'exercer une surveillance laborieuse et continuelle.

Thérèse
S-78

rappel à l'ordre était bien de nature à amoindrir la flamme du feu ardent.

Épier scrupuleusement les amoureux était un devoir de moralité auquel pas un responsable ne pouvait se soustraire. La mère, exténuée par une journée de travail, laissera tomber son tricot, son chapelet ou ses paupières. Le père, plus bruyant, nettoiera sa pipe en la cognant sur le bord du crachoir, remontera le poids de la pendule, placera la grosse bûche de nuit dans le poêle ou allumera le fanal. Une mère qui, n'en pouvant plus, désire se coucher, se heurtera à l'opposition de son époux consciencieux : « Non, Ludivine, retourne vite, c'est le départ qui est le pire. »

Un cavalier ne pouvait coucher sous le toit de sa blonde, même s'il avait parcouru une distance de quarante milles en voiture pour venir. Cependant, l'accueil bienveillant du voisin faisait vite une place au jeune homme. Toutefois, on ne découchait pas souvent, car les longs trajets ne se répétaient ordinairement que deux ou trois fois avant le mariage.

Après les sermons rigoureux de la retraite paroissiale, la plupart des parents resserraient la surveillance de leurs filles. Empêcher les occasions qui pouvaient conduire au mal était un devoir strict. Avec sévérité, les prêtres interdisaient les longues fréquentations. Les visites assidues pendant trois à six mois n'étaient pas recommandées. « Ma fille, si tu veux être heureuse, écoute M. le curé, diront les parents. Les fréquentations avec ce garçon ont assez duré. S'il n'est pas en position de se marier, renvoie-le. Si c'est le tien, il reviendra. » Hélas ! loin des yeux, loin du cœur. Que de fois cet

avertissement a brisé des cœurs !

Après l'apprentissage d'un métier, les fils de familles nombreuses allaient gagner leur vie à la ville. Lorsqu'ils revenaient se promener dans leur patelin, ces jeunes frais se donnaient des airs imposants. Un beau dimanche, un de ces jeunes, prénommé Eméric, se présente sur le perron de l'église, la tête haute et couverte d'un chapeau melon, portant un lorgnon et une canne sur le bras. La chaîne de montre pendait au veston. Il regardait avec dédain arriver tous ces habitants qui n'étaient plus de son rang. Tout à coup, il s'avance pour ouvrir galamment la porte à une jolie fille. Les pauvres colons, aux mains rudes, vêtus d'étoffe du pays, étaient quelque peu intimidés. Or, le même soir, le bourgeois est reçu avec empressement au salon de la belle. Tout allait comme sur des roulettes jusqu'à ce que le grand-père, sourd et à demi-aveugle, s'informe avec sa voix forte : « Adéline a un nouveau cavalier ? Quisse que cé que ce jeune fra ? » – « Chut ! c'est un garçon d'Éphrem. » – « Quoi ! C'est un p'tit Phrem-cul ? » Adéline n'était pas contente du tout de son grand-père qui avait prononcé tout haut le sobriquet de la famille du cavalier.

Lorsque deux prétendants rivalisaient pour obtenir les faveurs de la même jeune fille, ils se présentaient chez la bien-aimée et ils veillaient tous trois ensemble. La demoiselle signifiait son choix par l'intérêt qu'elle portait à celui qu'elle préférait. L'autre, laissé pour compte, mangeait de l'avoine. Cette expression était populaire à l'époque.

Autrefois, les préjugés des parents exerçaient une grande influence sur le choix de l'éventuel conjoint. On passait en revue la généalogie du prétendant ou de la prétendante et on lui attribuait automatiquement les tares, les défauts et les infamies de ses ancêtres. On pouvait même menacer les récalcitrants : «Si tu maries cette fille, tu n'auras pas ma terre.» Si l'un des ancêtres avait été par malheur un quêteux, l'indignation atteignait alors son paroxysme.

L'autorité paternelle imposait à l'aîné la fille de son choix si elle semblait représenter un bon parti. Ainsi, par intérêt ou par soumission, le jeune garçon pouvait vivre toute sa vie avec une femme égoïste, désordonnée, insupportable.

Dans l'ancien temps, il n'y avait pas beaucoup de jeunes mariés dont les ancêtres étaient considérés comme sans reproche. Aussi, les commentaires défavorables, empreints d'une pointe de jalousie, étaient monnaie courante.

Un garçon fortuné était considéré comme un aspirant avantageux, même s'il y avait disparité d'âge ou d'harmonie entre les deux jeunes gens. L'héritier du bien paternel, malgré toutes les charges de famille, représentait un parti enviable. On a souvent vu, habitant sous le même toit, quatre générations qui partageaient la vie commune. On devait faire des sacrifices de part et d'autre, mais chacun avait sa place, et personne ne souffrait de solitude.

La tempête à Phanie

Les hivers d'antan étaient, paraît-il, plus rigoureux. Et parmi toutes les mémorables tempêtes qui se sont abattues sur nos campagnes, la «tempête à Phanie» est passée à l'histoire. Qui, aux Grondines, n'a pas entendu cette expression: «C'est la tempête à Phanie», même si on n'en connaît pas l'origine.

Pour éviter toute confusion dans les paroisses fondées au début de la colonisation, on désignait une personne par son prénom suivi du prénom du père, du grand-père et souvent même de l'arrière-grand-père, ce qui pouvait donner des noms comme «Charles Phanie, à Charles Augustin».

Un certain lundi, Phanie, prénom d'un ascendant, décide de prendre Marie pour épouse. Jadis, on préférait se marier en hiver pour plusieurs raisons, D'abord, les repas de noces étaient de vrais festins: volailles farcies, ragoût, rôtis, tourtières, etc. Au froid, il était en effet plus facile de conserver les aliments. De plus, pendant cette saison morte, les gens étaient plus disponibles pour fêter. Cependant, on ne se mariait presque jamais dans le temps de l'avent et du carême, à moins qu'une dispense, pour un motif raisonnable, soit accordée durant ces temps de pénitence.

Donc, Phanie veut épouser Marie. Quoi de plus normal! Le marié est majeur depuis longtemps, la demoiselle a coiffé la Sainte-Catherine plusieurs fois, tous deux sont doués d'une bonté immense et chacun éprouve pour l'autre un grand amour. Malgré la tempête de neige qui fait rage, les parents et amis viennent nombreux à ce mariage qui a suscité des sourires et des hochements de tête. Après la cérémonie, le marié revêt un capot de chat et change son haut-de-forme pour un bon casque de fourrure. La mariée se couvre la tête et les épaules d'une belle chape de laine tissée.

Dehors, les chevaux, décorés de rubans rouges du collier à la croupe et de deux pompons suspendus à la bride, trépignent et agitent les grelots. Tête baissée, on affronte gaiement la violence du vent et de la neige qui fait disparaître les chemins, le ciel et la terre. Les carrioles doivent souvent faire un détour dans les champs afin d'éviter une accumulation de neige qui atteint parfois les fils télé-

Le premier soir des noces

Épiphane (Phanie) et Marie s'aventurent dans une vraie tempête pour se marier. Le premier soir, en présence des invités, la mère de la mariée dépose sur le lit nuptial la robe de nuit toute garnie de dentelle.

phoniques. À certains endroits, les maisons sont ensevelies jusqu'au toit. Souvent, le conducteur, debout, maintient l'équilibre de la carriole qui ressemble alors à un canot fendant de hautes vagues.

Toutefois, l'accueil enthousiaste fait vite oublier les incidents causés par le mauvais temps. La chaleur du poêle, un «petit remontant» et les fourneaux pleins de mets appétissants emplissent tout le monde d'une joie exubérante qui dépasse parfois la limite des convenances de cette époque. Ainsi, le premier soir, la mère de la mariée, respectueuse des engagements mutuels du sacrement, dépose délicatement sur le lit nuptial la robe de nuit garnie de dentelles. Profitant d'une absence momentanée de la surveillante, un farceur a l'audace d'endosser la jaquette* et ose même exécuter des pas de gigue revêtu de cette robe devant quelques assistants, bien amusés de la plaisanterie.

À table, chacun sème la gaieté en interprétant un chant, un morceau de musique ou en exerçant un talent de conteur. Le marié, tout heureux d'être la cause de cette joyeuse réunion, s'exécute à son tour dans un chant plus ou moins réussi. Cependant, voyant les applaudissements redoubler à son endroit, et surpris de se découvrir un talent méconnu, il s'applaudit longuement lui-même.

Même si l'alcool était servi assez généreusement, le «Croche» éprouvait le besoin de se ravigoter davantage. Il s'introduisit en cachette dans la petite pièce réservée aux victuailles. Mais en furetant dans l'obscurité, le filou heurte une table qu'il renverse dans sa chute. Naturellement, le fracas attire l'attention des invités. Avec précipitation, une main ouvre la porte de la pièce pendant qu'une autre présente la lampe à l'huile. Celle-ci éclaire un beau spectacle : étalé, le «Croche», tout honteux d'être découvert à fouiller pour trouver ce dont tout le monde se doute bien. Ses habits sont maculés de morceaux de tartes à la pichoune* qu'il décolle à pleines mains. Et pour comble de malheur, au premier pas après s'être relevé, il glisse et retombe dans le tas de victuailles. Il était vraiment dans un piteux état, exposé aux regards des invités qui riaient à s'en tenir les côtes.

Pendant trois jours, la tempête fait rage à l'extérieur et personne ne peut sortir. Toutefois, on s'amuse tellement qu'on regrette presque l'apaisement de la nature. Trois jours inoubliables d'amusements, de danses et de rires ont fait de la «tempête à Phanie» un événement mémorable.

Les dévotions du printemps

L'imposition des cendres marquait la fin du carnaval et le début du carême. Autant la période du carnaval apportait un air de gaieté et de divertissement, autant le carême imposait des principes austères et des pénitences.

La plupart de nos ancêtres se soumettaient volontairement aux exigences du jeûne établies selon le mandement de l'évêque, soit le droit à un repas complet par jour. On avait aussi droit à deux collations : une de huit onces de nourriture solide, et l'autre de deux onces seulement. L'imposition du même régime alimentaire à des personnes de diverses conditions et qui exécutaient des travaux de nature différente déséquilibrait certains estomacs habitués à recevoir une nourriture plus substantielle.

Les dimanches, le jeûne était interrompu, ce qui donnait lieu à un service très généreux au déjeuner avant la grand-messe. Les gens, que le repas copieux avait rendus amorphes, approuvaient les recommandations du prédicateur en cognant des clous* ou en ronflant bruyamment.

Ce temps de pénitence et de réflexion était bien choisi pour « faire ses Pâques ». Avant l'aurore, il fallait parcourir plusieurs milles en carriole, dans les chemins cahoteux du printemps. On entendait de loin le tintement des grelots et le grincement des traîneaux glissant sur la neige durcie. Nos dévots paroissiens, silencieux, bien emmitouflés, se laissaient glisser au gré du chemin balisé. Il fallait arriver de bonne heure pour se confesser à l'unique prêtre avant la messe de six heures et demie. La foule pieuse s'entassait dans la sacristie parce que l'église n'était ouverte que le dimanche afin d'économiser le chauffage.

À la lecture de l'évangile du dimanche de la Passion, plus précisément aux paroles : « Il expira », tout le monde sortait de son banc et baisait le plancher. C'était bien édifiant de voir cette foule convaincue qui exprimait dans un même geste respectueux une humilité profonde et une foi fervente. Et même si les marches dans les allées du jubé rendaient la prosternation difficile, personne n'osait se soustraire à ce signe d'adoration. Un jour, un fait cocasse se produisit. Le gros Eustache se mit à genoux sur une marche et se courba profondément en appuyant ses mains sur l'autre marche, plus basse. C'était trop demander aux coutures de son pantalon. Un bruit de déchirement rompit le silence solennel. Une longue fente ouvrit le pantalon, causée par un arrondissement trop prononcé. Le malheureux aurait pu éviter l'incident en s'arrêtant au premier signe de relâchement, mais, pour Eustache, pas de demi-mesure : ses lèvres touchèrent le plancher et il se releva lentement, affichant un sérieux non partagé par l'assistance.

Bien que la semaine sainte coïncidait souvent avec le dégel des routes, tout le monde se faisait un devoir d'assister aux offices religieux des jours saints. Parfois, l'effondrement des chemins rendait impossible le passage du cheval. Alors, c'est à pied, en raquettes ou chaussés de bottes sauvages que nos fervents et dévots ancêtres franchissaient la distance, témoignant ainsi de manière tangible leur foi profonde et leur persévérance ferme.

Le dimanche de Pâques, avant le lever du soleil, un membre de chaque famille allait puiser un seau d'eau au ruisseau le plus près de sa demeure. Au réveil, chacun se trempait la figure et les mains dans l'eau de Pâques. La légende attribue une puissance purificatrice à cette eau si elle est recueillie selon la règle.

Les privations du long carême faisaient naître un grand désir d'épanouissement au jour de Pâques. Les dames attendaient fébrilement la joyeuse fête pour étrenner des toilettes. Les fières jeunes filles portaient un chapeau fleuri, neuf ou remodelé. Il y avait de la joie partout, une joie à la mesure de la préparation profonde en sa chair et en son âme.

Quelques retardataires faisaient «des Pâques de renard». Cette expression bien connue à l'époque s'appliquait aux négligents qui attendaient la Quasimodo pour accomplir leur devoir pascal. Si certains paroissiens omettaient de faire leurs Pâques, la communauté traitait ces durs comme des renégats.

Le jeûne

La plupart de nos ancêtres se soumettaient volontairement aux exigences du jeûne établies selon le mandement de l'évêque, soit le droit à un repas complet par jour. On avait aussi droit à deux collations : une de huit onces de nourriture solide, et l'autre de deux onces seulement.

La mère, au moyen d'une balance, surveillait les quantités.

Thérèse
S-1989

Le secret des naissances

La naissance d'un enfant inspire habituellement la joie, l'espérance, l'amour. Cependant, autrefois, les mœurs voulaient qu'on garde le plus longtemps possible le secret de la maternité. Dans le milieu familial, on cachait aux enfants la prochaine arrivée d'un petit frère ou d'une petite sœur. Et la mère dissimulait son état le mieux possible.

À l'approche de l'accouchement, le père attelle un cheval et place tous les enfants chez un parent ou un voisin. Le service de garderie est toujours accepté très aimablement. Si le temps presse, les enfants s'habillent à la hâte sur l'ordre du père et ils se réfugient à l'étable, même si la naissance survient au milieu de la nuit ou en hiver. Aucune raison ne permet de se soustraire à cet ordre. Dans leur asile de fortune, les jeunes se coucheront dans une crèche si les animaux sont au pâturage, ou sur le plancher de la place laissée libre par le cheval que le père a pris pour aller chercher le médecin et la sage-femme.

Habituellement, on étend du foin dans la stalle, puis on se blottit les uns contre les autres sur la litière, sans s'inquiéter du motif du déménagement. On obéit à l'ordre du père sans se poser de question. Les plus âgés savent bien cependant qu'au retour d'un tel déménagement, qui se produit à peu près annuellement, un bébé s'ajoute à la famille.

Le caquetage des poules et le lit inconfortable maintenaient longtemps en éveil les enfants qui se résignaient à leur sort avec une patience admirable. Enfin, au matin, le père tout joyeux invite les enfants à retourner à la maison. La tante tient le nouveau-né et répond avec expérience aux questions des enfants. Une fois les questions posées, et après que la tante eut péniblement inventé une histoire destinée à remplacer la vérité par un mythe à peu près plausible, tout redevient normal. Cette manière d'agir était conforme aux mœurs et personne ne s'en formalisait.

Après la naissance de son dixième enfant, une maman demeura trois jours dans un état d'éclampsie. Cette fois, le retour au logis fut marqué par un silence lugubre qui figea les enfants. Le curé entre en silence et bénit la mère, qui dort profondément. Il ne peut contenir son émotion en voyant deux rangées de petits

Faire ses pâques

La foule pieuse s'entassait dans la sacristie pour se confesser avant la messe de six heures et demie du matin.

157

innocents inquiets, menacés du plus grand malheur. Heureusement, la prière a protégé la mère et a épargné les pauvres enfants. Mais combien de familles nombreuses ont été plongées dans un deuil déchirant! Le plus souvent, lors du décès de la maman, l'aînée, encore toute jeune, prenait la relève. L'orpheline devait élever la famille, y compris le bébé naissant. Combien de ces jeunes vies ont été sacrifiées dans le silence et l'humilité.

Le bébé est baptisé autant que possible le jour de sa naissance ou au plus tard le lendemain, de peur qu'il meure sans baptême. D'après la croyance de cette époque, l'âme de l'enfant mort non purifiée des souillures du péché originel allait aux limbes pour l'éternité. Et pour confirmer cette conviction, les petits corps étaient inhumés au cimetière dans un coin appelé « terre non bénite ».

Vers le milieu de l'après-midi, les paroissiens verront passer un compérage* de deux voitures. La première, transportant le parrain et la marraine, est suivie par la deuxième dans laquelle prennent place le père et la « porteuse » qui a le bébé dans ses bras. Au passage des voitures, les gens échangeront quelques réflexions sur le père et la mère, leur famille, le nombre d'enfants, etc.

Lorsque les parrain et marraine sont financièrement à l'aise, ils paient les cloches: « Aux baptêmes et sépultures d'enfants, la petite cloche doit toujours sonner gratuitement; mais il y a plusieurs cloches. Pour la moyenne, on paie trente cents. Pour la grosse seule, cinquante cents. Pour trois cloches, un dollar » (Archives de la Fabrique, 1880). De plus, le parrain offre une bouteille de vin à la mère, et la marraine donne des friandises aux enfants. En outre, à cette époque, le gouvernement accordait une récompense aux familles de douze enfants. Au début de ce programme, l'État donnait une terre boisée. Par la suite, étant donné qu'un nombre élevé de familles comptaient plus de douze enfants, le gouvernement décida d'offrir plutôt cinquante dollars.

Le compérage

Après la naissance d'un enfant, les paroissiens voient passer un compérage de deux voitures. La première, transportant le parrain et la marraine, est suivie par la deuxième dans laquelle prennent place le père et la « porteuse » qui a le bébé dans ses bras.

La bénédiction des graines

Depuis les temps anciens, l'Église a commémoré avec solennité la fête de la bénédiction des graines. Cette manifestation remonte au quatrième siècle de notre ère.

À cette époque, les Romains invoquaient leurs dieux par des processions, des rites et diverses pratiques pour obtenir la protection de leurs récoltes. Lorsque les pratiques rituelles étaient accomplies, on retrouvait la quiétude. On terminait la manifestation par une fête au dieu Bacchus, où la débauche, les plaisirs licencieux et les orgies étaient à l'honneur.

Pour contrer les pratiques voluptueuses et orgiaques de certaines coutumes romaines, l'Église organisa et dirigea des activités pieuses – processions, prières, litanies – pour que Dieu accepte de bénir les récoltes.

Plus tard, vers le sixième siècle, à la fête de saint Marc, le vingt-cinq avril, l'autorité ecclésiastique ajouta aux cérémonies antérieures les litanies majeures, ou grandes litanies, pour que les récoltes soient protégées des calamités, pestes, famines, désastres, etc. Depuis, cette fête est célébrée avec conviction dans une grande piété. La procession qu'on organise à cette occasion manifeste avec éloquence la ferveur des participants.

Le prêtre revêt l'amict, l'aube, le cingulon, puis il ajoute l'étole, la chasuble et le manipule violets pour signifier la pénitence. Voici l'ordre de la procession : le porte-croix accompagné de deux personnes tenant chacune un cierge, la foule, les enfants de chœur, un servant ou un marguillier portant un panier d'osier rempli de graines, le prêtre accompagné de deux clercs soit le cérémoniaire et le thuriféraire puis, en dernier lieu, les chantres, qui ferment la marche.

Le cortège religieux défile à l'extérieur sur une courte distance. Les participants répondent *ora pro nobis* aux invocations latines chantées par la chorale. Au retour, chacun prend sa place respective dans l'église. Le panier rempli de graines de semence, symbole de vie, est déposé par le porteur au centre de la sainte table, puis les notables vont placer près de la distribution des grâces une pochette de velours ou un joli coffret rempli de graines. À la suite, des fervents alignent de grands sacs bien bourrés. Quelques-uns, moins démons-

---

La bénédiction des graines

Le 25 avril, les paroissiens, confiants et fidèles à la tradition, apportent à l'église un sac de graines, symbole de vie et de foi, et se font un devoir d'assister aux cérémonies de la fête de saint Marc.

Le prêtre, accompagné de ses clercs, procède à la bénédiction des graines; il asperge d'eau bénite et encense les offrandes des fidèles.

tratifs ou plus humbles, déposent leur contenant dans le banc. Le prêtre, accompagné de ses clercs, procède à la bénédiction. Il asperge d'eau bénite et encense les offrandes des fidèles. La célébration de la messe suit la bénédiction. Les paroissiens se font un devoir d'assister aux cérémonies de la fête de saint Marc. Si aucun membre de la famille ne peut être présent, on confie son sac de graines à un voisin. Le dimanche suivant, les négligents et les oublieux peuvent se servir dans la corbeille universelle qui est restée sur la balustrade.

Après l'ensemencement d'un champ, le semeur sort un petit sac de son veston et il lance des graines bénites par petites pincées à la volée. Ce sac contient habituellement un mélange de graines de jardin, de céréales ou de fleurs.

L'intervention de la divine Providence s'est souvent manifestée par l'obtention de faveurs miraculeuses. Voici un fait raconté par certaines personnes qui ont appris cet événement de leurs parents et grands-parents. Avec les années, cet événement a pris l'envergure d'une légende.

Les pluies torrentielles avaient détrempé les chemins au point de les rendre impraticables. Ne pouvant se soustraire aux cérémonies du culte de la saint Marc, le curé décida de résoudre la difficulté en effectuant la procession à travers les champs. Pour exécuter son projet, il demanda au fermier voisin de l'église la permission de faire le défilé religieux sur sa terre ensemencée de fèves. Celui-ci refusa la demande du curé en prétextant le dommage à sa culture que pourrait causer le piétinement de la foule. Le curé s'adressa à un autre voisin pour obtenir le droit de passer sur son terrain. Avec empressement, ce dernier accepta l'honneur de recevoir la marche pieuse sur sa terre également semée de fèves. À l'automne, le cultivateur dévoué et charitable fit une généreuse cueillette de fèves sur lesquelles étaient imprimées l'effigie du saint sacrement. Par contre, le propriétaire mesquin ne ramassa qu'une maigre récolte. L'abondance des pluies de cet été-là avait grandement nui à la croissance de ses semailles. Pourtant, les mêmes nuages ont dû s'abattre uniformément sur les deux terres contiguës...

La fève du saint sacrement a joui par la suite d'une grande popularité. Elle croît dans nos jardins et, fait étonnant, la nature n'a pas altéré le symbole de sa provenance. Chaque grain de fève exhibe avec toutes les particularités l'hostie dans la custode de l'ostensoir.

La basse-cour

*P*our assurer la subsistance de la famille, il fallait élever et garder une bonne diversité d'animaux domestiques. Chaque espèce présente, en nombre peut-être restreint mais suffisant, permettait de répondre à de nombreux besoins. On n'avait pas d'argent, mais on ne manquait de rien. Contentement passe richesse...

Chaque cultivateur avait sa basse-cour. Les poules, au nombre approximatif d'une quarantaine par ferme, assuraient un revenu assez substantiel, car on tirait profit de tous les produits de la volaille. Le renouvellement de l'espèce et l'élevage ne nécessitaient aucuns frais, mais il fallait une infinité de soins et de surveillance pour entretenir un poulailler productif.

L'instinct de reproduction se traduit par un gloussement grave de la poule. Plutôt peureuse et distante de nature, elle devient agressive pendant la couvée. S'il y avait trop de couveuses pour une même période, ou si les poules couvaient trop longtemps et mettaient en danger la croissance des poulets, on les délogeait des nids pour les enfermer pendant quelques jours. La mise en cage était ordinairement efficace car, à leur sortie, poules couveuses devenaient poules pondeuses.

Quelquefois, pour améliorer la race, on échangeait une quinzaine d'œufs – quantité moyenne d'une couvée – avec un voisin. Au préalable, les gros œufs aux bouts le plus arrondis avaient été sélectionnés afin d'avoir plus de chance d'obtenir des poussins femelles.

Chaque jour, la couveuse tourne ses œufs avec son bec. Elle gardera le nid pendant trois semaines consécutives. Elle ne le quittera que pour s'alimenter au moment de la distribution du grain. Après vingt et un jours, un petit bec perce la coquille et on entend de légers pépiements. Des petites têtes apparaissent puis s'esquivent aussitôt. À ce moment, si le nichoir est trop élevé, il faut enlever les poussins qui sont prêts à quitter le nid afin de les protéger d'une chute de quelques pieds. Enveloppés dans une couverture, ces vigoureux attendront bien au chaud les petits frères retardataires.

Souvent, on verra la poule couver à la

dérobée. Sa ponte, toujours au même nid, sera dissimulée quelque part le long d'une tasserie, aux alentours de la grange ou dans des broussailles. Une fois la couvée éclose et les poussins bien portants, la poule apparaîtra avec sa suite dans la basse-cour. Les poussins nés en pleine nature paraissent plus vigoureux.

Afin de protéger les poulets de nombreux dangers, dont les prédateurs, on enfermait la couvée dans un abri non loin de la maison. Ainsi, les carnassiers ne pouvaient pas atteindre leur proie.

En guise de nourriture, on donnait aux poussins des restes de pain émietté trempés dans le lait, le tout déposé sur une planche devant l'abri. Lorsqu'ils étaient un peu plus vieux, les petits s'entassaient autour d'un auget rempli d'une pâtée faite de pommes de terre cuites, écrasées et enrichies de moulée d'avoine.

Le comportement des poussins est des plus intéressants. Par exemple, à la vue d'un danger, soit à l'approche d'un intrus ou d'un oiseau de proie, la poule émet un gloussement significatif qui fait accourir immédiatement les poussins qui se cachent sous ses plumes gonflées. Si quelques étourdis se sont trop éloignés, ils se dissimuleront sous une feuille ou dans l'herbe. Lorsque la mère trouve de la nourriture en grattant, elle pépie faiblement. Les poussins s'approchent aussitôt de son bec et commencent à picorer ce qu'elle égrène. À quelques reprises au cours de la journée, les petits disparaissent sous leur mère ; c'est le repos.

Arrivés à un certain âge, marqué par l'ap-parition de la longue plume de l'aile, les poulets deviennent moins soumis et la mère, plus indépendante. Les jeunes coqs pratiquent des coquericos, les poulettes se mêlent à la collectivité et se placent au juchoir. À ce stade, les poulets se nourrissent des grains de sarrasin, d'orge et d'avoine qu'ils trouvent çà et là. Une pâtée de légumes et de moulée leur est préparée et donnée tous les midis. Le soir, la basse-cour encercle la fermière qui éparpille des poignées de grains mélangés.

Dans l'étable, à un endroit réservé aux volailles, on disposait des nids, des juchoirs et une trémie. Ce nécessaire suffisait aux besoins des oiseaux domestiques laissés en liberté dans la bâtisse. Pendant l'hiver, on les nourrissait matin et soir de quelques poignées de grains secs. Le midi, un mélange chaud de moulée d'avoine et d'orge, saupoudré de cendre, faisait les délices de ces futures pondeuses.

C'est aussi au cours de l'hiver qu'on abattait les vieilles poules et les jeunes coqs. En effet, pendant cette saison, on ne voulait conserver que le nombre nécessaire. Plumer une volaille nécessitait assez d'adresse. Il fallait pouvoir exhiber aux villageois une pièce de belle apparence. Dans le fournil, en famille autour d'une grande cuve, on plumait la volaille en ayant bien soin de conserver la peau intacte. La prévoyance de la cuisinière réservait quelques volailles pour le jour de l'An et les jours de fête.

La plume était conservée minutieusement. Pour la désinfecter, on la mettait dans une poche qu'on déposait sur un trépied placé dans le four ou le fourneau du poêle à une chaleur modérée. Chaque année, on obtenait ainsi un oreiller ou un traversin de plus, ou on rendait le matelas de plumes plus confortable.

Les jeunes poules commençaient à pondre vers le mois de mars. Or, pour que la famille puisse disposer d'œufs à longueur d'année, on mettait en réserve le surplus amassé au cours de l'été. Pour conserver les œufs très longtemps, on utilisait une vieille recette française, le chaulage.

La grande roue actionnée par un chien

Pour faciliter le travail ardu et exigeant de la culture, nos prédécesseurs, avec ingéniosité et talent, ont patenté* des moyens pour rendre l'exploitation de la terre plus efficace. La grande roue actionnée par un chien pour produire une force motrice n'est-elle pas une preuve du génie de nos patenteux*?

À la ferme, le chien est un auxiliaire souvent indispensable. Par sa loyauté et son charme, il contribue à rendre la vie familiale plus agréable. La garde des biens de ses maîtres et des animaux de la ferme constitue sa tâche prioritaire. Cependant, le chien peut dans certains cas faire fonctionner un appareil qui transforme le mouvement et l'effort en énergie.

Au lieu d'astreindre un enfant ou un adulte à tourner durant des heures la manivelle de la meule pour affûter les outils, c'est le chien qui active un mécanisme permettant de faire tourner la meule au besoin. On peut ainsi aiguiser les faux, les faucilles, les planes, etc.

Au signe de son maître, le chien bien dressé se met à faire tourner la roue. Le mouvement est communiqué à la meule à l'aide d'une courroie.

Le chien peut aussi actionner la laveuse en bois, équipée d'un même système. Pendant que l'animal fait tourner la roue, la ménagère vaque à d'autres occupations.

Avec un système identique, le chien peut faire fonctionner le moulin à eau. Lorsque la quantité d'eau obtenue est suffisante pour abreuver le troupeau, on actionne le frein qui permet de diminuer graduellement la vitesse de rotation jusqu'à l'arrêt complet. À ce moment, le chien reprend sa liberté.

La grande roue actionnée par un chien

Grâce à leur ingéniosité et à leur esprit inventif, nos ancêtres ont trouvé des moyens pour produire de l'énergie.

La grande roue actionnée par un chien fait tourner la meule pour aiguiser les faux ou autres instruments. Elle peut aussi servir à pomper l'eau ou à actionner la laveuse de bois.

Les vaches, bêtes de somme essentielles

Autrefois, on conservait en moyenne de sept à huit vaches sur la ferme. Au printemps, on abattait les veaux deux ou trois jours après leur naissance. Ce délai était nécessaire pour laisser raffermir la peau. La peau du jeune veau était enroulée dans le sel en attendant sa transformation en cuir. La carcasse était tout simplement jetée au chien car, à cette époque, on avait dédain de cette viande. Pour stabiliser le troupeau, deux ou trois veaux étaient choisis pour l'élevage.

Après le vêlage, les vaches donnent habituellement du lait en proportion de la nourriture distribuée au cours des longs mois d'hiver. Si le temps n'a pas été trop clément l'été précédent, on devra, l'hiver venu, rationner les animaux selon la récolte de fourrage obtenue. Anciennement, il n'était pas question d'acheter de la moulée ou du fourrage pour suppléer à l'insuffisance de la récolte. Quand on est réduit à donner de la paille plutôt que du foin jusqu'à la fin de l'hiver, les vaches, sous-alimentées, produisent du lait en faible quantité. Lorsqu'on disait : «Les vaches sont assez maigres qu'on voit lever le soleil au travers» ou «Les vaches ont le mal de crèche», un certain nombre de bêtes risquaient de mourir et la production du lait chutait dramatiquement. Par contre, un troupeau bien soigné au foin et nourri le midi d'un mélange de balle et de moulée ébouillantées donnera un rendement supérieur.

Le produit de la traite est versé dans une chaudière* «à couloir». De ce lait filtré, on garde la quantité nécessaire à la consommation quotidienne. Le reste est transvidé dans des terrines ou des plats de fer-blanc qui sont déposés sur les tablettes de la laiterie. Exposé à la chaleur, le lait se transforme en crème qui monte rapidement à la surface. Cette crème épaissit en formant une croûte assez consistante. Ainsi, il est facile de récupérer le gras qu'on dépose dans un grand plat ou dans une baratte. Quelques familles seulement ont le privilège de posséder une baratte, cet instrument qui permet la transformation de la crème en beurre.

À tour de rôle, les enfants fouettent la crème avec une cuillère. Durant une heure et plus, la petite main agite régulièrement la

La fromagerie

Dans un esprit de collaboration, les cultivateurs, à tour de rôle, recueillent le lait dans chaque ferme après la traite du matin et l'apportent à la fromagerie.

crème d'un mouvement rotatif. De temps en temps, la mère stimule le jeune par des paroles encourageantes. La crème épaissit de plus en plus. Des grains se forment et s'accumulent en mottes. Le petit-lait est recueilli et sera donné aux porcs. Le beurre est lavé à l'eau froide et pétri afin d'en extraire tout le liquide. Après avoir écrasé du gros sel avec le rouleau à pâte, on salera au goût le beurre, qu'on pétrit de nouveau.

La baratte facilitera la fabrication du beurre. Cet instrument fait de bois est formé d'un récipient carré monté sur quatre pattes. La partie supérieure est fermée d'un couvercle de bois. La base du récipient est arrondie dans le sens de la longueur. Sur la paroi de droite, à l'extérieur, une manivelle permet d'actionner une tige munie de palettes. En tournant la manivelle, la crème est battue par les palettes, ce qui accélère la transformation en beurre.

À l'été, pendant l'abondante récolte de lait, on met une provision de beurre dans la saumure ou dans une tinette, au frais. L'excédent est pressé dans un moule ayant une capacité d'une livre et présentant en creux la forme d'un motif. Ce surplus de production sera vendu au marché.

La crème enlevée, deux ou trois bassins sont recueillis et replacés sur les tablettes de la laiterie. Après quelques heures, le lait caillé et saupoudré de sucre d'érable offre une collation ou un dessert. Les enfants sont aussi friands de blanc-manger. Ce mets se cuisine en mélangeant du lait et de la farine de blé délayée dans un peu d'eau. Le tout est porté à ébullition. Recouvert d'une couche de sucre du pays*, ce dessert est englouti avec avidité.

Le lait écrémé et le lait de beurre sont versés dans un baril de bois qui contient déjà un reste de lait encore plus sur. L'odeur qui se dégage du baril, jointe à l'odeur des porcs dont la litière est rarement nettoyée, exhale des émanations repoussantes, surtout pour ceux qui n'y sont pas habitués, comme les neveux de la ville en promenade à la ferme. De plus, à l'approche de la tonne près de la soue, on est importuné par une nuée de mouches. Si le visiteur puise le petit-lait pour soigner les porcs, il est vite aveuglé par la densité des insectes.

Plus tard, le progrès permettra d'augmenter le rendement des fermes. Le surplus de lait qu'on commencera à recueillir donnera naissance à l'industrie laitière. On ouvrira ainsi des fromageries et des beurreries dans les paroisses.

Dans un esprit de collaboration, les cultivateurs, à tour de rôle, recueillent le lait dans chaque ferme après la traite du matin et l'apportent à la fromagerie. À l'aide d'une crémaillère, le responsable de la tournée monte la canistre qui contient la récolte de chaque cultivateur pour la transvider dans un réservoir fixé sur une balance. La pesée vérifiée et le gras mesuré seront inscrits quotidiennement dans le calepin de chaque fermier et reportés dans le grand livre du fabricant. À la queue leu leu seront déchargées les autres « voitures de lait ». Et voilà que s'amorce l'essor d'une industrie qui ne cessera de prospérer.

Cependant, le commerce a ses exigences. Il fallait en tout temps un produit de bonne

Le puits

Nos ancêtres, jamais à court de moyens, attachaient avec des câbles les poignées de la canistre pour la descendre dans l'eau froide du puits.

Thérèse
S-1985

qualité. Alors, comment faire pendant l'été pour conserver la fraîcheur des traites du samedi soir et du dimanche, la fromagerie n'étant pas ouverte ce jour-là? Nos ancêtres, jamais à court de moyens, attachaient avec des câbles les poignées de la canistre pour la descendre dans l'eau froide du puits. Le beurre et la viande étaient aussi placés au frais, au même endroit, dans une chaudière.

Les bêtes à cornes fournissent également la viande dont s'alimentent nos familles. Vers le milieu de décembre, une corvée s'organise parmi les cultivateurs des environs en vue de l'abattage des vaches. Un homme expérimenté tue la bête d'un coup de masse. La vache tombe habituellement au premier coup. Après avoir enlevé la peau, la bête est éventrée afin que l'on puisse retirer les tripes et autres parties non comestibles. Ces parties sont ensuite lavées et congelées. On les utilisera plus tard pour fabriquer du savon. La viande est ensuite débitée. Quelques morceaux sont gardés à la laiterie pour un prochain usage. Les autres portions, bien congelées, sont insérées dans des sacs et sont enfouies dans l'avoine. La peau est salée et pliée en vue du tannage. Le cuir répond à de multiples besoins domestiques: harnais, chaussures, lacets, courroies, etc.

Le suif le plus pur est fondu pour être moulé en chandelles. Quelques fils de lin tordus et cirés forment la mèche, puis des mains expertes remplissent des moules de cette graisse combustible qui servira à éclairer la fin des jours d'automne et d'hiver.

L'élevage des cochons

Nos ancêtres consommaient beaucoup de viande de porc. Elle constituait d'ailleurs la principale viande de consommation. Cette préférence s'expliquait par plusieurs raisons: d'abord, les mets apprêtés au lard étaient résistants, délicieux et se présentaient de façons variées; la saumure et la boucane étaient des agents importants de conservation. De plus, la facilité d'élevage incitait les gens de la campagne et même les citoyens des villages qui possédaient un lopin de terre à garder des cochons pour leurs besoins.

Autrefois, un porcelet coûtait trop cher à engraisser pour qu'il soit tué à l'automne. Voici comment on élevait ce bétail d'une façon économique. La truie allaitait sa portée de trois à quatre mois. Ensuite, les sept à huit cochonnets de la portée, séparés de la mère, se nourrissaient d'herbe. Matin et soir, on versait dans une auge du lait écrémé qui était avalé rapidement; des restes de table faisaient aussi les délices de ces gourmands. C'est ainsi que jusqu'à l'automne ces bêtes inoffensives mais peu charmantes seront nourries. Leur enclos près de la maison exhalait une odeur désa-gréable et leur malpropreté attirait des nuées de mouches. Si, en creusant avec son nez, le petit cochon réussissait à se frayer un passage sous la clôture, il se promenait sans gêne autour de la maison et jusque sur le perron, au grand déplaisir des jeunes demoiselles.

En prévision de la saison froide, on faisait un abri de planches appuyées à l'oblique sur la grange. Cet appentis soigneusement isolé de foin et de paille gardait les porcs bien au chaud. Au fond du refuge, malgré l'ouverture sans porte, une vapeur se dégageait des cochons lorsqu'ils faisaient leur promenade à l'extérieur. Pendant l'hiver, de la balle mêlée d'un peu de grains moulus, le tout ébouillanté, alimentait assez généreusement les bêtes.

Au printemps, les porcs reprenaient leur liberté. On leur servait une nourriture identique à celle de l'été précédent, mais en plus grande quantité. Ainsi, la croissance de l'animal s'effectuait à un prix très modique. À l'automne, les cochons étaient enfermés et soignés de plus près. On leur servait un mélange fait de moulée d'orge, d'avoine et de maïs, le tout délayé dans du lait écrémé. On ajoutait aussi des pommes de terre mises de côté après le tri ; celles-ci étaient cuites dans un grand chaudron de fer. Les porcs d'un an et demi, engraissés à même les produits de la dernière récolte, donnaient une chair ferme, saine et d'un goût exquis.

À l'époque de l'abattage, on gardait ce qui était nécessaire pour la consommation familiale. La truie, qui pesait habituellement dans les quatre cents livres, permettait d'accumuler une quantité suffisante de viande. La graisse de l'intérieur de l'animal, une fois recueillie et fondue, remplissait deux seaux. Pour s'assurer d'une bonne provision, on gardait un ou deux autres jeunes porcs d'environ trois cents livres, selon les besoins. Le surplus de la production était vendu au prix de cinq à six cents la livre.

Le gras épais du lard était idéal pour la salaison. Dans un tonneau de chêne, on plaçait dans le sel de longs morceaux de gras de six pouces d'épaisseur environ. Après quelques jours, on versait dans le baril une saumure assez concentrée pour qu'un œuf puisse y flotter. C'était là un procédé qui assurait une parfaite conservation. Désormais, on n'avait qu'à puiser dans la réserve le mets principal de chaque jour. Cependant, après y avoir prélevé une ration, il fallait mettre une pesée sur les planches couvrant la viande pour empêcher celle-ci de flotter.

Chaque famille possédait son tonneau de bois de chêne. Ces contenants de vin, d'alcool, de sirop, de salpêtre ou d'autres marchandises étaient transportés par goélettes le long des rives du Saint-Laurent pour être livrés aux marchands. Lorsqu'ils étaient vides, les barils se vendaient au prix d'un dollar. Après un bon nettoyage, on ébouillantait dans ces tonneaux une poignée de framboisiers et on laissait tremper durant une nuit afin de donner une bonne odeur.

Le lard salé était au menu quotidien, du dégel printanier jusqu'aux boucheries de décembre. Régulièrement, de bonnes grillades* dorées et croustillantes sautées dans un poêlon étaient servies au souper. Après avoir enlevé le surplus de graisse, des oignons revenus dans ce gras bouillant répandaient un arôme appétissant. Ensuite, la marmite était remplie de pommes de terre tranchées. Cette fricassée bien assaisonnée et cuite à point ravitaillait généreusement son monde.

Pour le déjeuner, des crêpes arrosées de sirop d'érable étaient cuites dans l'excédent de graisse des grillades salées de la veille. Au dîner, un morceau de lard salé, cuit et chauffé dans la soupe aux pois, était retiré du potage et déposé au centre de la table. Des légumes du potager et de la laitue fraîche, arrosée de crème ou de lait caillé accompagnaient le plat de résistance.

Ce menu des repas de chaque jour était servi tout l'été. La routine était parfois interrompue par un bon rôti d'agneau. Trois ou quatre voisins à tour de rôle abattaient un mouton et se le partageaient pour une consommation immédiate. Une nourriture consistante, un travail au grand air et un sommeil paisible comblaient les exigences de la vie.

Les boucheries

Jadis, la prévision du temps était une science acquise par l'observation, mêlée toutefois d'un soupçon de superstition. Nos anciens savaient prévoir le temps qu'il ferait et ils avaient la patience d'attendre le bon moment pour faire chaque chose. Les cieux et les vents étaient minutieusement scrutés avant de procéder à l'abattage des cochons.

« Quand les avents commencent doux, y finissent frets. » Ce dicton annonçait le temps propice pour faire boucherie. En effet, un temps froid persistant permettait au lard de geler dur avant qu'il soit enfoui dans l'avoine. « Mais quand les avents commencent frets, y pourrait y avoir du temps doux aux alentours de Noël », prévoyait la sagesse des anciens. En ce dernier cas, il fallait attendre le vent du Nord, qui annonçait un froid rigoureux pour quelques jours. « Demain, on fait boucherie. La viande va avoir le temps de geler avant d'être enterrée dans l'avoine. »

De toute façon, après le huit décembre ou à quelques jours près, selon les prévisions des avents, la corvée des boucheries commence. Trois ou quatre voisins se groupent pour tuer les cochons. On allume le four pour chauffer l'eau qui servira à ébouillanter la bête, et on aiguise les couteaux.

Le porc est tiré avec un câble jusqu'à un endroit libre au bord de l'étable. On couche l'animal sur le côté, on lui lie les pattes et la gueule afin d'éviter les morsures et d'assourdir les hurlements.

Le meilleur saigneur est invité à s'exécuter le premier. Les hurlements de la bête agonisante heurtent les sensibilités. On place un seau sous la saignée et on maintient fermement le cochon qui se débat. Il faut remuer continuellement le sang dans la chaudière avec une cuillère pour qu'il n'y ait pas coagulation. Un dernier coup de couteau jusqu'au cœur donne un sang rouge foncé ; c'est le signe de la fin.

Le porc engraissé, qui pèse environ trois cents livres, est déposé dans une auge de bois remplie d'eau bouillante. L'animal est alors tourné et retourné assez longtemps pour que le poil s'enlève facilement avec un couteau. Pour ne pas laisser l'animal tremper dans l'eau chaude, on glisse des planches ou une échelle sous la carcasse. On grattera la peau jusqu'à ce qu'elle soit bien lisse.

Le cochon est suspendu la tête en bas sur une échelle à l'extérieur. On l'éventre de la queue jusqu'en bas en évitant de percer une tripe car, après avoir enlevé le cœur et le foie, tout le reste est recueilli dans une cuve pour être apporté à la maison et remis à la femme. Celle-ci dégraisse les boyaux et la panse, et le gras est fondu dans un chaudron de fonte. Le résidu croustillant qui flotte devient des cretons*. Enlevées avec une passoire, ces grillades sont écrasées, assaisonnées et mises au froid.

Une partie des tripes est sortie et déposée dans un seau d'eau. La femme met une planche étroite sur la cuve de bois afin de gratter les tripes avec un couteau. Ce travail requiert de l'attention et de la dextérité afin d'éviter les perforations. Après le nettoyage, la ménagère souffle dans les tubes pour vérifier s'il y a des fuites et ferme une extrémité en la nouant. Les tripes sont ensuite nettoyées et déposées dans un plat d'eau salée en attendant d'être remplies.

Rien ne se perd. Les restes sont vidés, lavés à l'étable, mis dans une vieille canistre et placés au froid en vue du consommage au printemps.

La vessie est vidée et gonflée à l'aide d'un bouquin. Puis, lorsque la vessie est gonflée au maximum, l'ouverture est solidement attachée avec une corde. Ensuite, on procède au dégraissement avec un couteau pour rendre la peau mince comme un papier de soie. La vessie soufflée, mince et blanche est suspendue au tuyau du poêle à bois durant environ une semaine. Puis, lorsque la peau est bien séchée, on la frotte pour la rendre souple comme du kid*. Enfin, on borde l'ouverture du sac d'un biais de coton. Désormais, les hommes pourront exhiber avec fierté une belle blague à tabac.

Le débitage de la viande se fait à la hache sur le billot dans la cuisine. La tête est mise de côté pour être transformée en tête fromagée* ou être présentée au centre de la table au réveillon de Noël. Si on optait pour ce dernier choix, la préparation et la cuisson ne devaient pas altérer la forme de la tête.

La panne* est recueillie et mise dans un grand chaudron de fer pour faire de la graisse de panne. Avec ce gras de qualité supérieure, on fera les pâtisseries des Fêtes. Les enfants en profiteront particulièrement lorsqu'ils se feront une délicieuse collation au retour de l'école en couvrant une tranche de pain de cette graisse qu'ils saupoudreront de sucre du pays.

Ensuite, on débite par quartiers. Les gigots seront utilisés pour les ragoûts, et les fesses pour les pâtés à la viande. Le reste est coupé en morceaux plus ou moins gros. Dans ces dernières parties, on prélève le gras pour la salaison. Ces morceaux constitueront la réserve de viande pour l'été. Les rôtis, qu'on fait congeler, seront mangés au cours de l'hiver et le plus beau morceau sera donné au curé à l'occasion de la quête de l'Enfant-Jésus. Plusieurs morceaux de viande sont déposés sur les tablettes de la laiterie pour la prochaine consommation. Les rôtis congelés sont insérés dans des sacs de coton qu'on enfouit dans

Les boucheries

Le débitage de la viande se fait à la hache sur le billot dans la cuisine. Tout le monde est à l'œuvre.

Thérèse
S-1987

l'avoine. Ainsi, la viande est protégée jusqu'au printemps.

Les chats et le chien ne sont pas en reste. Ils se régalent des miettes de viande que la hache a fait voler dans toutes les directions. Inutile de dire qu'après ces opérations un grand ménage à l'eau chaude doit dégraisser les meubles, les murs, le plancher et même le plafond.

On faisait aussi du boudin à l'époque, un mets savoureux prisé par plusieurs. Pour faire du boudin, on coupait du lard en petits cubes, qu'on ajoutait à une quantité équivalente de sang et de lait. On versait ces trois ingrédients dans une grande terrine et tout était bien brassé et assaisonné. Le mélange était ensuite inséré dans des tripes bien nettoyées au moyen d'une boudinière. Puis, on les faisait cuire dans l'eau bouillante.

Servi au déjeuner, le boudin frit dans la poêle de fonte est un mets délicieux et soutenant. Une généreuse portion rassasiait bien notre monde que le travail avait affamé. Avant l'aube, les hommes faisaient le train: nourrir les animaux, pomper et distribuer l'eau dans les auges pour abreuver tout le troupeau, etc. Si l'on ne disposait pas d'une installation de pompage manuel, il fallait alors puiser l'eau avec un seau dans la tonne d'eau glacée près de l'étable, celle-ci ayant été remplie la veille au ruisseau le plus proche. On changeait la litière et on mettait le fumier dans un traîneau qui transportait cette charge d'engrais naturel dans les champs. Ce travail se répétait quotidiennement avant le déjeuner. La femme, pendant ce temps-là, avait préparé un bon repas de boudin, un stimulant sans pareil pour commencer la journée.

«Les feluettes* de la ville, ça mange rien que des cochonneries le matin. C'est bon à rien pour travailler, ç'a les deux flancs collés ensemble.» Réflexion d'un bon vieux, satisfait de son sort, au retour d'une promenade dans la grande ville.

Quelques morceaux de porc sont prélevés de la réserve et sont boucanés au printemps. À la tête de la cheminée, on accroche du lard enveloppé d'un tissu de coton ou d'une poche de jute. L'enveloppe protège la viande de la suie, mais elle laisse passer la fumée qui boucane parfaitement bien le jambon. Le paquet, solidement fixé à une broche, est descendu quelque peu dans la cheminée. Pour boucaner la viande, on peut aussi utiliser le four à pain dans lequel on allume un feu de bran de scie: une fumée dense enveloppe la viande suspendue à une grille. Cependant, cette dernière méthode exige une grande surveillance.

Tout ces procédés économiques donnaient d'excellents résultats. Grâce à leur esprit d'initiative, nos ancêtres s'assoyaient devant une table bien garnie.

Le cuir

Les nécessités de la vie quotidienne ont conduit nos ancêtres à devenir artisans dans de nombreux domaines pour satisfaire aux exigences de la vie. Dans notre pays au climat sévère, l'utilisation du cuir a toujours été indispensable.

La peau des animaux sauvages et domestiques était transformée en cuir selon des procédés primitifs. Et comme les familles ne possédaient pas les contenants de trempage et les outils adéquats pour convertir les peaux brutes en un cuir souple et durable, chaque paroisse devait ouvrir une tannerie pour satisfaire les besoins de la population.

Le traitement commençait par le trempage de la peau une dizaine de jours dans une cuve de bois bien étanche contenant une solution de dix livres de chaux pour dix gallons d'eau.

Puis on lave la peau pour faire disparaître la chaux. Bien nettoyée, la peau est étendue sur un baril ou un objet de forme ronde pour enlever le poil d'un côté et le gras de l'autre, avec un couteau à lame non tranchante ayant la forme d'une plane. Un sablage fin pro-tégeant le grain produit un cuir brut. Des lanières de minces largeurs taillées dans ce cuir donnent la babiche* qui, trempée dans l'eau et passée sur brique de suif, devient coulante et de manutention facile. Les lanières de cuir servaient à coudre les attelages, à enlacer les fonds de chaise, à empailler les raquettes, etc.

Les anciens pratiquaient aussi le tannage des peaux d'agneaux, de moutons et de quelques animaux sauvages. On préparait une solution de huit livres de sel pour une livre d'alun qu'on mélangeait à une quantité d'eau suffisante pour couvrir la peau après l'avoir soigneusement dégraissée. Enfin, on ajoutait quelques gouttes d'acide sulfurique et d'acide borique. La peau devait tremper pendant quelques jours dans ce liquide.

Avec ces peaux, on fabriquait des casques, des manchons, des mitaines, des collets, des doublures de manteau, des pantoufles et combien d'autres trouvailles pour affronter les rigueurs de l'hiver.

Vers la fin du dix-neuvième siècle, les tanneries des grands centres ont développé une industrie raffinée du cuir. Ce commerce florissant a donné un essor à nos campagnes qui vendaient de l'écorce de chêne et de pruche, le produit de base utilisé pour le tannage. À l'automne, les cultivateurs bûchaient ces arbres. Et vers la fin de juin, l'écorce s'enlevait assez facilement du tronc à l'aide d'un ciseau à bout plat. Lorsque l'amoncellement d'écorces était suffisant, on l'empaquetait pour qu'il soit livré aux tanneries des environs ou envoyé par train dans les grandes villes.

Pour préserver le cuir, on l'enduisait d'huile de pied-de-bœuf, huile qui se vendait chez le cordonnier ou le marchand général. Cette substance grasse s'obtenait en faisant bouillir dans le lessi les ergots, les pattes, les os de la tête d'un bœuf. L'extraction par le consommage de la moelle de ces ossements donnait une huile très efficace pour assouplir le cuir et le rendre imperméable.

Un cheval bien attelé a longtemps été l'orgueil des gens de nos campagnes. Le sellier façonnait les harnais de la bride au bacul*, du petit jour jusqu'au soir, pour atteler les chevaux qui travaillaient sur la ferme, aux chantiers, et qui transportaient leurs maîtres.

L'atelier du sellier, situé au village, avait une double vocation : c'était d'abord un lieu de travail mais aussi un lieu de rencontre des rentiers des alentours. Le propriétaire savait parler d'abondance en même temps qu'il tirait sur le ligneul avec ses deux aiguilles pour effectuer la couture double.

Le sellier confectionnait des harnais qui convenaient aussi bien aux travaux des champs qu'à la promenade du dimanche. Notre spécialiste savait aussi ajouter des boucles et des ornements métalliques aux attelages. Dans ses temps libres, le maître sellier fabriquait des fouets d'attelage faits d'une tige flexible ayant à son extrémité de courtes lanières de cuir et des rubans de couleur.

Hélas, l'arrivée de l'industrialisation, des camions et des automobiles ont rendu la sellerie silencieuse et déserte. Le centre d'intérêt du village n'est plus qu'un souvenir.

Cependant, la clientèle se rassemblera maintenant dans l'atelier du cordonnier. La réparation des chaussures allant de la bottine aux souliers de beu a toujours été le principal gagne-pain du cordonnier, même si celui-ci s'adonnait parfois à la confection ou à la réparation de sacs d'école, de courroies, de sacs à multiples usages, de tabliers de forgeron, de menuisier, etc.

Nos spécialistes du cuir ont, par leur habileté, inculqué le goût de l'élégance en façonnant des chaussures délicates, en équipant le cheval d'un harnais soigneusement confectionné et orné de décorations brillantes. Nos ancêtres nous ont transmis l'amour du beau, la fierté de leur descendance, la dignité de leur comportement. Voilà un héritage que nous devons respecter.

Le cuir

Dans notre pays au climat sévère, l'utilisation du cuir a toujours été un besoin indispensable.

La mère confectionne les bottes sauvages sur la table de cuisine. Le père raccommode les harnais avec du ligneul. Le grand-père enlace les fonds de chaise avec de la babiche.

L'épierrement

L'exploitation d'une terre en bois debout exige tellement de labeur que seul le défricheur peut réellement savoir au prix de quels efforts il arrivera à son but. Et si, par malchance, le lot à défricher est couvert de pierres à fleur de terre, la tâche de l'épierrement succédera à celle de l'essouchement.

Après avoir défriché la terre, on labourera en retournant les pierres qui jonchent le sol. Par la suite, chaque année, entre les gros travaux – les semences, les foins ou les récoltes –, on ramènera près des clôtures les roches d'abord les plus encombrantes. Avec le temps, toutes les roches seront ainsi accumulées le long des clôtures. Certains lots étaient tellement pierreux que l'on pouvait sauter d'une roche à l'autre sans toucher le sol. Ces terres «érochées» de peine et de misère sont devenues plus tard des terres fertiles.

Nos ancêtres ont fabriqué un arrache-pierres pour faciliter l'épierrement. Les deux roues avant de cette machine sont rapprochées pour faciliter le virage à angle droit afin de ramener la roche près de la clôture. Les grandes roues arrière sont plus écartées pour garder l'équilibre. Des madriers fixés aux essieux des roues avant et arrière sont placés en croix. À la jonction des madriers, on fixe une roue dentée à laquelle on attachera une chaîne.

L'épierrement nécessite la collaboration de toute la famille. Elle fait même parfois l'objet d'une corvée. D'abord, on déterre la roche à la pelle. Puis on frappe à coups répétés sur la pierre avec une masse pointue afin d'y fixer des crochets. La chaîne est ensuite attachée à ces crochets, ce qui permettra au cultivateur de pouvoir soulever la pierre à l'aide d'une perche.

L'arrache-pierres est une invention très pratique, mais il ne permet pas d'enlever toutes les pierres. Si la pierre est trop grosse, on peut toujours recourir à la dynamite. Cependant, ce moyen exige expérience et prudence.

Si on se promène sur les chemins de certaines régions autrefois rocheuses, on remarque de temps à autre des clôtures de roches, témoins du labeur et de la patience de nos prédécesseurs.

L'évolution transforme graduellement les

L'arrache-pierres

Certains lots à défricher étaient couverts de roches à fleur de terre.
Nos ancêtres ont fabriqué un arrache-pierres avec lequel ils transportaient les roches encombrantes.

modes de vie. Et l'agriculteur n'échappe pas au progrès. L'arrache-pierres, qui a autrefois contribué au déblaiement des roches encombrantes, est devenu désuet quand on a pu utiliser le bulldozer. D'abord, on a remisé l'arrache-pierres dans un hangar, et à mesure que la mécanisation des fermes augmentait, l'arrache-pierres a dû céder son abri pour dormir à la belle étoile. L'armature de cette machine faite en bois s'est vite désagrégée sous l'effet des intempéries. C'est pourquoi cet instrument d'une autre époque est à peu près disparu.

Lorsque nous admirons les immenses champs ondulés, nous arrive-t-il de penser à ceux qui ont donné leur vie pour nous offrir cet héritage?

L'épierrement

Le terrain calcaire de certaines régions nécessite un travail supplémentaire. Avant les semences, c'est l'épierrement du labour. «C'est une récolte pas payante dont on pourrait bien se passer», disait un vieux.

La politique d'antan

Autrefois, les élections étaient un événement qui bouleversait la vie paisible de nos paroisses. Pour quelques-uns, la période électorale représentait une série d'activités agréables qui favorisaient les rencontres et les distractions. Certaines personnes cependant voyaient venir les débats politiques avec anxiété. La crainte des chicanes, des rancunes, des abus de boisson entraînant des comportements impulsifs, mettaient ces gens dans un état d'inquiétude profonde, d'autant plus qu'un changement du parti au pouvoir entraînait des pertes d'emploi.

Aux premiers signes d'un appel au peuple, les candidats commençaient à sonder la population en faisant du porte-à-porte, d'abord chez les fervents de leur parti afin de s'unir davantage dans leurs convictions. En partant de la maison, ils laissaient un petit flacon en signe de pacte. Ça, c'était solide en « Gibraltar ». Ensuite, ces mêmes gens, de nuit, se rendaient chez les « vire le vent, vire la poche », car chez ceux-ci, la cabale* devait se faire en secret. Par conséquent, on changeait de tactique. Ces nouveaux amis étaient traités doucereusement.

Les cabaleurs* possédaient plus d'une ressource et savaient faire vibrer la corde sensible de chacun.

Autrefois, les femmes n'avaient pas le droit de vote. Toutefois, on craignait l'efficacité de leur influence. Un de ces cabaleurs fit sortir à l'extérieur de son logis un jeune homme qui venait d'épouser une fille du clan opposé afin de l'affermir dans la foi de ses pères. Après un entretien intime, les deux complices souriants rentrèrent dans la maison et, moqueusement, l'hypocrite séducteur s'adressa à la nouvelle mariée: «Chère Madame, croyez-vous que nous allons gagner nos élections?», lui dit-il. «Ah! Monsieur, si vous les gagnez, c'est sûr que mon père va perdre les siennes,» lui répondit-elle. Secrètement, elle promit d'injecter un contre-poison à son mari. Et de fait, maître fripon venait de perdre un vote.

Aux quatre coins de la paroisse, on organisait des soirées sociales qui stimulaient la ferveur politique. Ces comités étaient très populaires, car on s'amusait grandement. Chacun y allait de sa participation selon ses talents. À mesure que le p'tit blanc* s'ingurgitait, les «sans talents» s'adonnaient aux activités musicales et oratoires, ce qui donnait encore plus de comique à la fête. Lorsqu'un parleur réputé de l'endroit se levait, s'il pouvait encore se tenir debout, et qu'il débitait un discours imagé et enflammé, tout le monde était d'accord et on applaudissait avec conviction sans connaître vraiment le sujet de l'enthousiasme. Il se formait une union profondément amicale et indéfectible entre les membres de l'assemblée, mais cette harmonie renforçait l'opposition qui divisait une paroisse, une famille, des voisins : les rouges et les bleus, deux clans opposés.

L'appartenance au parti se transmettait de père en fils. Celui qui, au cours de sa vie, changeait d'opinion était mal vu par sa famille et accepté avec prudence et méfiance par l'opposition. Un jour, à la sortie de la messe, après un sermon entaché de partisanerie, un de ces renégats se fit apostropher : «David, es-tu sourd?», lui dit son voisin en faisant allusion à l'homélie du curé, «as-tu encore la tache rouge dans le front?» «Toé, Jos, t'as encore la tache bleue dans le cul», répondit-il en se moquant de son interlocuteur. Profondément humiliée, Arthémise avait vraiment de la peine de voir son fils dans le chemin infernal. «Qu'est-ce qu'il pense, ce cher David? Ah! si son père voyait ça», disait-elle en branlant de la tête sur le perron de l'église.

Éprouvant du mépris à l'endroit du chef du parti adverse, un malicieux cultivateur suspendit la photo de l'honorable candidat au milieu de ses porcs, au fond de la soue. Peu après avoir satisfait sa rancœur, il reçut ses aimables cousines de la ville. Voulant charmer en particulier l'une de ces belles qui le séduisait, il fit visiter son domaine, sans oublier la porcherie. C'est là que, soudainement, la belle cousine devint distante et pincée. Que s'est-il donc passé? «Ah! le maudit portrait», pensa-t-il. Imaginez, la demoiselle n'était pas rangée sous la même bannière politique. Une telle divergence d'opinions était inacceptable.

Au cours des dernières nuits précédant la journée du vote, la cabale devenait plus intense. Les «vire le vent, vire la poche» devenaient la cible des cabaleurs qui s'entrecroisaient dans leur randonnée nocturne. À l'arrivée chez l'un de ces indécis, un politicien ambulant transvida un peu d'alcool dans un petit flacon. En appâtant ainsi son indécis, notre homme fut reçu avec amabilité. Son adversaire, qui le suivait de peu, se présenta à son tour auprès des mêmes électeurs. Il distribua à tout le monde une généreuse portion d'alcool et fit don d'un gallon en fer-blanc à peine entamé. En outre, le fin rusé se fit le plus conciliant possible : «Vous êtes tous des amis, leur dit-il, je ne suis pas ici pour me chicaner, je respecte les opinions de chacun.» Une telle largesse d'esprit exigeait en retour de la gratitude, une gratitude exprimée par deux petites lignes croisées au bon endroit dans l'isoloir.

Les candidats ajustaient leurs méthodes de séduction selon chaque individu courtisé. À l'occasion d'une élection en particulier, le soir précédant le vote, des partisans allèrent chercher Louis pour que celui-ci les accompagne chez Ti-Tin. Louis avait prêté de l'argent à ce dernier, ce qui lui donnait un certain ascendant sur son débiteur. En période électorale, tous les moyens étaient bons pour séduire. Louis remplissait parfaitement son rôle.

Les citoyens ressentaient un vif intérêt pour les débats. Les positions étaient bien arrêtées. Et les auditeurs avaient une opinion indéfectible et ferme à l'égard du candidat de leur parti, même si on ne le connaissait pas. Ils étaient convaincus de son habileté, de son éloquence et de la sincérité de ses propos. Par contre, le candidat adverse débitait inévitablement des mensonges, des absurdités et des sottises.

À l'un de ces débats, un de ces bons cultivateurs, les coudes appuyés sur la table, écoutait attentivement un discours politique. Et malgré toute son attention, il ne parvenait pas à savoir, par les propos de l'orateur, s'il écoutait un bleu ou un rouge. C'est pourquoi il demanda à un jeune à quel parti appartenait celui qui parlait à ce moment-là. Connaissant bien le fanatisme du cultivateur, le malicieux gamin l'induisit intentionnellement en erreur: «Y m'semblait aussi, dit-il. Oh! c'est un homme intelligent, il parle bien.» Et le vieux se mit à applaudir en manifestant sa satisfaction pour le discours judicieux et sensé. Son fils, voyant la tromperie, s'empressa auprès de son père pour lui dire: «Aïe! le père, c'est pas un gars de not' bord.» La première réaction du pauvre homme fut d'attraper le menteur, mais le jeune avait déjà commencé à fuir. La foule s'est bien amusée de cette méprise.

À cette époque, le politicien du parti au pouvoir avait le droit d'ouvrir le débat. Dans ce premier discours, d'une durée de dix minutes, un calme apparent semblait régner. Mais les moindres agissements étaient étudiés par les agitateurs. L'orateur suivant avait droit de parole durant vingt minutes. Le défenseur du peuple critiquait toute l'administration précédente et s'attaquait surtout à la personnalité de son adversaire. L'assemblée s'agitait, des poings s'entrecroisaient et, bien sûr, on huait le parlementaire. Le candidat qui avait ouvert le débat revenait de nouveau pour un dix minutes de réplique. Son devoir était de relever les erreurs de son adversaire. Les jeunes étaient bien intéressés par ces querelles. Quelquefois, la présence d'hommes forts était requise par les organisateurs d'un parti pour maintenir la paix durant le discours de son candidat. Ces événements avaient parfois de graves répercussions sur les amitiés et le bon voisinage. Des rancunes plus ou moins tenaces entachaient nos paisibles paroisses.

La journée de l'élection était très mouvementée. À l'heure de la fermeture des bureaux de vote, on se réunissait dans les rares demeures qui disposaient d'un téléphone pour entendre la diffusion des résultats. Ceux qui remportaient la victoire manifestaient leur joie d'une manière tapageuse. Toute la nuit, les gagnants paradaient. Leur exubérance dépassait souvent les limites des convenances: des chants lugubres, des bonshommes de paille pendus ou brûlés devant les perdants, des charivaris bruyants, etc. Aucune compassion n'était manifestée par le groupe des victorieux, qui s'en donnait à cœur joie. Cette dernière démonstration mettait fin aux agitations suscitées par la campagne électorale.

Discours politiques contradictoires

L'assemblée s'agitait, des poings s'entrecroisaient et, bien sûr, on huait le parlementaire. Les sens étaient échauffés pour vrai.

Thérèse
S-78

Chaque député avait le droit de placer dans la fonction publique vingt-sept hommes par comté. Alors, tous ceux qui naviguaient dans la marine canadienne, qui assuraient le service de remorquage sur le fleuve Saint-Laurent, les inspecteurs d'animaux, de beurreries, de fromageries, les maîtres de poste, etc., perdaient leur emploi dans les trente jours qui suivaient les élections si le parti au pouvoir était battu.

Comme l'ouragan laisse des ruines après son passage, les élections ruinaient parfois des amitiés ou entraînaient des pertes d'emploi. Avec le whisky qui restait et de la résine de pin, on fabriquait le meilleur antidote contre les rhumes. Les souvenirs des élections d'autrefois ont un charme particulier. Nos ancêtres combattaient avec conviction pour un idéal national, politique et religieux.

Les préjugés

Nos ancêtres ont vécu à une époque où les préjugés étaient nombreux et tenaces. Le fait de vivre dans le patelin ancestral, dominé par l'influence de la politique et de la religion, entraînait nécessairement les personnes à avoir les mêmes idées et les mêmes opinions.

Dans une même paroisse, il existait deux classes sociales : les gens du village, qui brillaient au premier rang, et les habitants des terres plus éloignées, relégués au second rang. Cette démarcation pouvait être observée déjà chez les jeunes dès la première rencontre, lorsqu'ils « marchaient au catéchisme ». Pendant le mois de mai, le vicaire ou le curé recevait à la sacristie les élèves âgés de dix ans qui venaient de toutes les écoles de la paroisse pour y recevoir l'instruction religieuse. Les enfants des rangs qui s'ajoutaient au groupe du village ne s'intégraient pas facilement parce que la gêne, l'insécurité ou l'ennui causés par le premier départ de l'école rurale les rendaient gauches. Déjà, ils développaient un sentiment d'infériorité.

Un jour, à l'occasion de l'un de ces cours, le bon curé posa la même question à chacun des sept garçons des rangs assis timidement sur le premier banc ; aucun ne put répondre. Alors, il s'adressa à une jeune fille du village, assise dans l'autre rangée – bien entendu une large allée séparait les garçons des filles. Celle-ci donna immédiatement la réponse attendue. En levant la main vers les garçons ignorants, le curé rendit ce témoignage : « Tiens, voilà les sept péchés capitaux. »

À la procession de la Fête-Dieu, tous les services d'honneur étaient rendus par les enfants du village ; ils jetaient des fleurs au passage du Saint-Sacrement et personnifiaient les anges au reposoir. Dans le défilé de la procession, les mêmes écoliers occupaient les premières places, suivis des élèves des rangs. Cette démarcation s'accentuait encore lorsque les élèves des rangs poursuivaient leurs études à l'école « Modèle ».

La condition financière des villageois était habituellement plus reluisante que celle des habitants des rangs. Aussi, les enfants des premiers portaient des vêtements souvent plus colorés ou de meilleure qualité. En outre, l'attitude présomptueuse et insolente qu'affichaient certains jeunes villageois envers les autres enfants entraînait une opposition entre les deux clans de la paroisse. C'était vraiment un obstacle aux relations amicales. Ces préjugés ont brisé bien des liens entre des jeunes gens qui pratiquaient pourtant leur religion à la même église.

Chaque dimanche, la grande famille paroissiale se réunissait à l'église pour assister à la grand-messe. On se connaissait tous depuis longtemps et l'histoire des ancêtres de chacun n'était un secret pour personne. Avant et après l'office, les paroissiens se rassemblaient sur le perron de l'église et toutes les nouvelles de la semaine se communiquaient sans frais. On avait parfois la joie de recevoir la visite d'anciens habitants qui venaient se retremper dans le milieu de leur enfance. Par contre, si un étranger venait s'installer dans la localité, on le considérait comme un «rapporté de paroisse», et ça prenait souvent plus d'une génération avant que sa famille ne soit vraiment intégrée au milieu. La méfiance envers cet inconnu pouvait aller jusqu'à provoquer une injustice outrageante. Un «rapporté de paroisse» était traité avec insolence s'il osait se mêler d'une discussion sans y avoir été invité: «S'il pense venir nous conduire chez nous!» Bien sûr, avec une telle mentalité, l'étranger n'était pas considéré comme digne de remplir une fonction au sein du conseil municipal, de la commission scolaire ou de la Fabrique.

Si une jeune fille qui venait d'entrer au noviciat décidait par la suite que cette expérience ne répondait pas à ses aspirations, il était logique que la jeune fille revienne à la maison familiale. Malheureusement, la réintégration à la vie au sein de la famille était souvent pénible. L'opinion publique se montrait malicieuse et, quelquefois, la pauvre fille devait faire face à un accueil hésitant de la part de ses parents qui étaient déçus de perdre l'honneur d'avoir une vocation religieuse au sein de la famille. Gênée, blessée, la «sœur manquée» se privait de sortie pendant un certain temps afin d'éviter les sourires malveillants et les allusions mordantes. Dans certains cas, la malheureuse se sentait étrangère chez elle et à charge de ses parents. Ces derniers étaient chagrinés du fait qu'elle avait renoncé à un avenir assuré et exempt des misères du monde.

La rigidité des mœurs ne favorisait pas toujours la compréhension et l'indulgence. Pour l'opinion publique, les descendants étaient marqués au front par l'ivrognerie, la dureté ou les activités plus ou moins illégales d'un ancêtre. Aussi, rares étaient les mariages dont on n'avait pas à redire quant à l'harmonie des époux, quant à l'hérédité possible d'une faute ou d'un défaut des aïeux, même d'une lignée éloignée. Et tout naturellement, ces mêmes critiqueurs ajoutaient, en jugeant ceux qui étaient sages et dévots: «Ah! c'est ben du bon monde. C'est pas mêlant, c'est comme nous aut's.»

La morale de ce temps-là portait un grave préjudice aux enfants illégitimes. Les parents n'acceptaient pas que l'héritier du bien paternel épouse une fille de la crèche* et, bien sûr, les filles de bonnes familles ne devaient pas fréquenter un garçon d'origine inconnue. Le

Marcher au catéchisme

Pendant le mois de mai, le vicaire ou le curé recevait à la sacristie les élèves âgés de dix ans qui venaient de toutes les écoles de la paroisse pour y recevoir l'instruction religieuse.

Thérèse
S-1983

curé, protecteur de l'intégrité des règles morales, donnait quelquefois des conseils à un père dont les deux enfants venaient de la crèche : « Écoute, Narcisse, gâte-les pas. Tu sais, ces enfants-là, il faut les laisser pâtir un peu, il ne faut pas les habituer à ça... »

La société réservait le mépris le plus ignoble à la fille-mère. Aucune misère physique ou morale n'était épargnée à cette créature déchue. Les âmes charitables n'auraient pas traité un criminel avec un tel mépris sans connaître sa part de responsabilité. En outre, tous les membres de la famille de cette pauvre fille étaient aussi accablés du poids d'une faute dont ils n'étaient pas responsables. Les parents, profondément humiliés, surchargeaient la coupable de reproches amers. L'institution qui recevait la « pécheresse » devait aussi éviter de témoigner de la bonté et de la douceur envers la malheureuse. De durs travaux ménagers et une nourriture de carême étaient autant de pénitences imposées afin que cette erreur ne se répète plus. Durant la mise à l'écart, la misérable devait se voiler le visage dans la cour extérieure ou les corridors de la maison pour se soustraire au mépris du monde. Cependant, de tout ce calvaire, la douleur la plus cruelle était l'abandon de l'enfant par sa mère, car la société et les parents n'auraient jamais accepté la réintégration de cette fille et de « l'enfant de son péché » dans le milieu familial.

Les préjugés influencent le comportement des générations. De tous temps, le fait de juger selon les apparences est une attitude qui a favorisé nombre d'injustices et d'indiscrétions. Certains préjugés peuvent parfois s'estomper, mais ils ne sont jamais complètement déracinés. « Mauvaise herbe croît toujours », dit le proverbe.

La croix du chemin

La croix du chemin témoigne de l'héritage de nos ancêtres qui ont honoré publiquement leur foi. Chaque arrondissement scolaire des paroisses rurales avait sa croix érigée près de l'école du rang.

La croix du chemin est habituellement simple. Toutefois, on se plaît à ajouter des ornements comme un cercle en forme d'épines, une niche abritant une statue, etc., le tout fabriqué selon la créativité de la communauté. Un enclos délimité par une jolie clôture protège le monument symbolique. Une petite porte permet de pénétrer dans l'enclos pour fleurir et entretenir le parterre.

La bénédiction de la nouvelle croix est une fête grandiose. Le curé s'avance, coiffé de la barrette, vêtu du surplis et de l'étole. Il est accompagné des enfants de chœur qui portent les chandeliers et le bénitier. D'un large geste, le prêtre bénit la croix et l'assistance recueillie. Des prières et des cantiques sont adressés au Dieu tout-puissant. Après la bénédiction, les membres de l'assemblée, un à un, viendront baiser le bois consacré, puis ils fraterniseront en dégustant une collation.

Saluer la croix du chemin est une tradition que les passants observent régulièrement. En été, les hommes, même s'ils passent devant la croix plusieurs fois par jour, ne manquent jamais de saluer en soulevant leur chapeau de paille et en baissant légèrement la tête. En hiver, ces messieurs portent la main à leur casque à la manière militaire. Les dames s'inclinent et elles formulent intérieurement une prière.

Dès le bas âge, les enfants sont initiés au salut à la croix. Cette coutume respectueuse se perpétuera toute leur vie. À un passant qui omet de faire le signe conventionnel, on dira : « Ah ! il ne doit pas faire de religion. » Cet étranger est catalogué. Mais si un paroissien passe devant la croix sans faire de signe, on lui fera rapidement une mauvaise réputation.

Durant le mois de Marie, la croix du chemin rassemble les gens du rang. Des jeunes gens des autres coins de la paroisse arrivent en bicyclette pour se joindre à la pieuse réunion. On verra même des visiteurs prolonger leur rencontre sur le perron du voisin, en charmante compagnie.

Les religieux en promenade dans leur famille se font un devoir de rendre visite à leur chère confidente, la croix du rang. Les jeunes mariés se font photographier au pied de celle qui a été témoin des premiers rendez-vous. La croix sert aussi de point de repère : «J'habite la troisième maison après la croix du chemin.» Ces repères échelonnés le long de nos routes sont un signe évident de la foi de nos ancêtres.

La croix du chemin a été élevée par un peuple qui s'est dressé fièrement pour bâtir son patrimoine. La nation, tenace dans ses convictions, est restée fidèle à ses origines. Contre vents et marées, ces emblèmes nous rappellent les valeurs religieuses des pionniers.

La croix du chemin

Chaque arrondissement scolaire des paroisses rurales avait sa croix érigée près de l'école du rang.

Les ancêtres ne manquaient jamais de saluer respectueusement le symbole de leur foi. Les hommes soulevaient leur chapeau, et les dames s'inclinaient et faisaient le signe de la croix.

Le bon Dieu en voiture

« L'œil de Dieu te voit. » Pour certifier cette vérité, on suspendait près de la croix de tempérance une image représentant un œil qui rayonnait dans toutes les directions. Au centre de l'illustration, une balance évoquait deux possibilités : monter ou descendre. Cette gravure imprimait dans l'esprit des enfants le respect et la crainte de Dieu. Inconsciemment, on inculquait à sa descendance les principes reçus de son éducation : l'amour et la peur.

Jadis, les malades et les vieillards recevaient les sacrements de pénitence et d'eucharistie à la maison. Le cheval était attelé à la sleigh* dans laquelle le curé, couvert des pieds à la ceinture d'une peau, était assis seul sur le siège et tenait le « Bon Dieu » dans ses mains. Quant au conducteur, il prenait place sur le petit banc mobile à l'avant.

Les chemins d'hiver étaient étroits et la rencontre de deux voitures allant en sens inverse posait quelques difficultés. Selon l'accord établi depuis des générations, lorsqu'il y avait un face-à-face, la voiture de droite devait céder le passage. Cependant, la « voiture du bon Dieu » avait la priorité en tout temps, qu'elle soit à droite ou à gauche du chemin. C'était une convention qu'il fallait respecter.

En été, les chemins ne présentaient pas ce type de difficultés. Cependant, au son caractéristique de la cloche, on devait tout de même ranger sa voiture sur le côté et attendre le passage de la voiture du curé pour saluer respectueusement ce dernier. Lorsque les malades demeuraient aux environs de l'église, le curé, accompagné d'un ou deux enfants de chœur, se rendait à pied leur administrer les sacrements. Le prêtre revêtait le surplis et l'étole, et il suspendait le porte-Dieu à son cou. La sonnette faisait aussi partie du défilé religieux.

Les remèdes calment peut-être la douleur, mais le sacrement des malades met un baume au cœur. Il était donc fréquent que le médecin et le prêtre s'entrecroisent dans l'embrasure de la porte de chambre des malades. En ce temps-là, ce sacrement, qu'on appelait « extrême-onction », était administré aux mourants.

La famille, les parents, les voisins étaient invités à assister à la cérémonie religieuse. Le prêtre administrait les derniers sacrements : la pénitence, le viatique et l'extrême-onction.

Le bon Dieu en voiture

M. le curé, portant le bon Dieu aux malades, s'assoyait seul et silencieux sur le siège arrière de la belle sleigh. Le conducteur, les guides d'une main et la sonnette de l'autre, annonçait le passage du saint sacrement.

Pour ce dernier rite, le ministre aspergeait le malade d'eau bénite, puis il faisait une onction en forme de croix avec le pouce oint d'huile sur les parties du corps représentant les cinq sens: les yeux, les oreilles, la bouche, le nez et les mains. L'officiant ajoutait la supplication suivante: «Par l'onction sainte, (prénom du malade), le Seigneur vous manifeste sa grande bonté et vous remet ce que vous avez fait de mal durant votre vie.» Enfin, on récitait ensemble les prières de circonstance: «L'Extrême-Onction donne la vigueur et la force à l'âme, et quelquefois même au corps.» (*Le catéchisme*)

Mourir dans sa maison, au milieu des siens, avec l'assistance du prêtre et en recevant les derniers sacrements, voilà des droits auxquels nos ancêtres n'auraient renoncé pour rien au monde. Ils apportaient un dernier moment de douceur au terme d'une vie souvent rude et difficile.

La procession de la Fête-Dieu

Autrefois, certaines fêtes liturgiques étaient célébrées avec faste. Et la plus fastueuse était certainement la Fête-Dieu. À cette occasion, la communauté paroissiale, profondément animée par des sentiments d'amour et de zèle pour le culte divin, manifestait avec éclat et splendeur.

La procession était l'activité principale de la fête ; l'exaltation régnait dans les cœurs et chacun apportait sa participation afin d'exprimer publiquement l'enthousiasme.

La veille, il y avait tout un branle-bas. Les marguilliers arrivaient avec une charrette remplie de jeunes arbres. Avec l'aide des jeunes gens disponibles, on plantait des épinettes et des sapins en bordure du chemin tout le long du parcours. À chaque extrémité du trajet, on élevait avec des lattes une arche que l'on recouvrait entièrement de branches de cèdre. Cette voûte de verdure était ornée d'une invocation : « Sacré-Cœur de Jésus, protégez-nous. » Des banderoles multicolores portant des inscriptions pieuses étaient étalées sur les façades des maisons. Des drapeaux ornaient également les balcons et les encadrements des fenêtres et des portes.

Pendant ce temps, des femmes s'affairaient au reposoir pour les décorations de l'autel, la disposition des cierges, les arrangements de fleurs. Pour cette cérémonie, les plus belles plantes étaient gracieusement offertes. Pas le moindre détail n'était négligé pour répondre au désir intime de plaire à Jésus. Enfin, comme dernier complément, le tapis rouge était déroulé de l'autel jusqu'au chemin.

Il était tout naturel que le décor de l'église apporte un témoignage encore plus éloquent. Le sacristain et les enfants de chœur, sous la supervision du curé, suspendaient des banderoles à la voûte du sanctuaire et de la nef. Ils accrochaient des écussons surmontés de drapeaux. Le dais, les bannières et les flambeaux étaient placés en évidence dans le sanctuaire. Les nappes de dentelles recouvraient les autels, qui étaient ornés des plus jolies fleurs.

En ce matin du dimanche de la procession, les villageois donnaient une dernière touche aux décorations. Les grandes portes centrales de l'église étaient ouvertes pour accueillir cette foule dans leurs plus beaux atours. Tout le monde se connaissait et se reluquait tout en avançant pour prendre place dans le banc familial.

À l'*Agnus Dei,* les institutrices et les enfants d'école sortaient pour prendre place dans le chemin, un peu à l'écart afin de laisser le champ libre aux dames. Dirigés par les maîtresses, les garçons d'un côté et les filles de l'autre s'alignaient par deux en ordre de grandeur ascendante.

Le connétable* s'avançait lentement, suivi de la bannière de sainte Anne. La hampe était portée par un jeune homme. Deux épouses des marguilliers tenaient les rubans suspendus aux extrémités supérieures de l'étendard. Puis les femmes mariées marchaient en ligne. Cependant, si une demoiselle même âgée se mêlait à ce dernier groupe, on lui signalait son erreur par un regard moqueur, méprisant ou même par des paroles mordantes. Alors, la vieille fille devait reculer en arrière de la bannière avec les plus jeunes. Encore là, la délaissée était assez difficilement supportée par les jeunes pimpantes.

Maintenant défilaient les célibataires de tous âges : des fillettes aux cheveux tressés jusqu'aux demoiselles aux cheveux blancs, dans un curieux mélange de toilettes extravagantes, aux couleurs voyantes, et de vêtements sobres. À la suite, les écoliers, dirigés par leurs institutrices, avançaient dans le cortège, suivis de la bannière du Sacré-Cœur, escortée par tous les hommes, mariés ou non.

Toute cette assemblée en marche, chapelet à la main, récitait des *Ave* à haute voix, entrecoupés de cantiques. Les prières étaient accompagnées du tintement des cloches qui sonnaient sans arrêt durant le trajet.

Au point d'arrivée, les femmes et les enfants dépassaient le reposoir pour former une haie en demi-cercle, tandis que les hommes se rangeaient de chaque côté du chemin.

Enfin, c'était l'entrée solennelle du Saint-Sacrement précédé de l'élite du culte. Trois clercs, marchant de front, dirigeaient cette suite. Celui du centre portait la croix et les deux autres, un chandelier. Les enfants de chœur et les chantres venaient après, tous revêtus de la jupe noire et du surplis blanc. Deux enfants portaient un grand panier de jonc contenant des fleurs artificielles qu'ils semaient sur le chemin. Ces fleurs artificielles étaient faites de papiers de soie, d'écorces d'oranges, etc.

Un clerc encensait le Saint-Sacrement en marchant à reculons. À ses côtés, un autre garçon portait un vase et, de temps en temps, il puisait avec une petite cuillère un peu d'encens pour le jeter sur les tisons. Évidemment, tout le monde se prosternait au passage du dais soutenu par quatre marguilliers gantés. Le curé, vêtu de la belle chape blanche, élevait l'ostensoir. Une garde d'honneur formée de quatre anciens marguilliers tenant chacun un flambeau accompagnait le bon Dieu. C'était digne et solennel.

Au reposoir, le prêtre s'avançait entre deux rangées d'anges symbolisés par des jeunes filles qui, ayant fait leur communion solennelle cette année-là, avaient l'honneur de représenter les esprits célestes. Vêtues d'une robe longue, portant le voile, la couronne et des ailes, les jeunes filles qui avaient «marché au

La procession de la Fête-Dieu

Autrefois, la Fête-Dieu était célébrée avec un enthousiasme exaltant de piété. La procession était l'activité principale de la fête.

catéchisme » s'agenouillaient, la tête inclinée et les mains jointes.

Devant l'ostensoir déposé sur l'autel, le célébrant, au milieu de l'assistance recueillie, louait Jésus-Hostie par l'office du Salut au Saint-Sacrement. Puis, le retour s'effectuait dans le même ordre : les dames, les demoiselles, les enfants. Certes, ce défilé était un point de mire qui troublait la vue de certains messieurs. Revenu au point de départ, tout le monde rentrait dans l'église pour assister à la dernière cérémonie d'action de grâce.

La mort

Autrefois, lorsque le deuil affligeait une famille, on attachait beaucoup d'importance au rite funéraire. Après la récitation des prières auprès du défunt, les services d'un voisin ou d'un parent sont sollicités pour l'ensevelissement du cadavre. Pendant ce temps, les femmes s'affairent à la décoration. Il faut assombrir la pièce en plaçant des draps blancs devant les fenêtres, on tapisse les murs du même tissu blanc, s'il en reste, et les meubles sont dissimulés sous une nappe ou une couverture de même couleur. Le plancher est aussi couvert de toile blanchie. Au centre, sur deux chevalets, on dépose des planches destinées à recevoir le corps. Cette table improvisée est recouverte d'un drap qui tombe jusqu'au plancher. Lorsqu'il y avait une mortalité, les femmes du voisinage apportaient leur réserve de tissu blanc sans se faire prier. Pour éviter la confusion, chaque pièce de tissu était marquée.

Sur la table, on couche le défunt vêtu de ses plus beaux habits, chaussé de bottines, et la tête reposant sur un oreiller. Les mains, jointes sur sa poitrine, tiennent un chapelet. Deux chandelles déposées sur une petite table recouverte d'une nappe encore blanche scintillent jour et nuit. Au centre de cette table, on dépose un crucifix entre deux statues et un vase rempli d'eau bénite dans laquelle trempe un rameau de sapin. La coutume invite le visiteur à asperger le défunt avec cette petite branche et à se mouiller le bout des doigts dans ce bénitier avant de faire le signe de la croix.

Maintenant, c'est à la cuisine qu'on s'affaire. Des repas copieux sont offerts aux parents qui feront un voyage de dix ou quinze milles et même plus en voiture dans des chemins souvent impraticables. Les gens du rang s'ajoutent nombreux au groupe de sympathisants. Dans le fournil, les hommes causent assez bruyamment pendant que les femmes aident à la cuisine et à la confection des vêtements de deuil. Pour les jeunes, les veillées au corps sont des occasions de rencontre plus divertissantes que funèbres. On a souvent vu des couples profiter timidement de cette circonstance pour amorcer un début d'amourette.

La récitation du chapelet se fait à intervalles assez réguliers, sans oublier la longue prière du soir, suivie du *De Profundis* récité par l'institutrice du rang ou la demoiselle pensionnaire au couvent. Des membres de l'assemblée, ne possédant pas trop leur latin, jargonnent la réponse mais ils prononcent bien la dernière syllabe en même temps que les autres. Vers minuit, un bon repas est servi aux visiteurs compatissants. Rassasiées, les personnes âgées se retirent et les gens de la maison prennent un peu de repos. Les jeunes assureront la garde jusqu'au matin. Cette veillée au corps s'effectue parfois dans une partie de rire et de divertissements.

Avant le départ pour les funérailles, les porteurs, parents ou voisins, sont identifiés par une bande d'étoffe noire fixée à l'épaule. La banderole assez large descend jusqu'au bas de la main qui ne portera pas la tombe. Un ruban également noir encercle le chapeau, et les deux bouts de cette bande de crêpe pendent jusqu'au cou. Des gants noirs complètent l'ensemble d'un aspect plutôt lugubre. Le conducteur du corbillard et le porteur de la croix de tempérance portent le même uniforme. Les convenances exigent aussi que le cheval ait les oreilles et le dos recouverts d'un filet noir. La natte à larges mailles est bordée de pompons. Avant le départ, les porteurs doivent déposer le mort dans le cercueil.

Nos ancêtres mettaient en réserve quelques planches de pin pour la confection du cercueil. Lorsque le malheur frappait, on confiait à un habitué le soin de fabriquer un cercueil. La veille du service funèbre, à la brunante, un voisin allait chercher le corbil-

lard, une voiture de la paroisse qui était remisée dans un abri sur le terrain de la Fabrique. Par la même occasion, il ramenait le cercueil que le menuisier avait rapidement construit. Toujours selon la coutume, il dissimulait la voiture dans la grange.

L'élément vestimentaire était le souci primordial des parents. Au décès d'un père ou d'une mère, les orphelins portaient le grand deuil durant un an. Le chapeau des dames et même celui de la jeune fille était garni d'un voile qui cachait la figure. Une pleureuse* dissimulait le visage de la veuve. Ce crêpe noir descendait jusqu'en bas du menton. Il était bouclé sur le côté du chapeau et les deux bouts pendaient jusqu'aux coudes et même parfois jusqu'aux genoux. Voulaient-elles afficher leur douleur à la longueur de la pleureuse ? Les convenances ne toléraient pas facilement les couleurs, même sobres, dans le port des vêtements. Et la teinture pouvait corriger ce qui n'était pas conforme à l'usage. Les casquettes étaient ornées d'un triangle de tissu noir, et le brassard noir était aussi de rigueur si l'habit n'était pas sombre. À l'issue de cette période austère, la décence exigeait encore un intervalle d'un an de demi-deuil, donc après le service anniversaire. À ce moment, un soupçon de blanc, le violet et le gris seront des teintes admises pour exprimer le deuil. La musique à la maison sera bannie durant ce temps.

Certains comportements étaient aussi de rigueur. Ainsi, un garçon ne devait pas rendre visite à sa «blonde» la veille du service anniversaire de ses parents, et encore moins le jour de la cérémonie commémorative. Les

Sur les planches

Sur deux chevalets, on dépose des planches destinées à recevoir le corps. Cette table improvisée est recouverte d'un drap qui tombe jusqu'au plancher. Le mort était couché sur cette table improvisée, vêtu de ses plus beaux habits et chaussé de bottines.

C'est de là que vient l'expression «le mort sur les planches».

Thérèse
S-78

mêmes restrictions étaient observées à la Toussaint et au Jour des morts. Aucune soirée sociale ou récréative n'était permise. Celui qui enfreignait les usages traditionnels était considéré comme un sans-cœur qui manquait de respect. On voyait aussi dans cette transgression un présage de malheur pour la personne rebelle. De plus, les loups-garous étaient nombreux et agiles durant la nuit de deuil paroissial des deux premiers jours de novembre.

En outre, le glas sonnait à sept heures tous les soirs du mois de novembre. À ce moment, la famille, y compris la visite et le quêteux, s'ils étaient présents, s'agenouillaient pour réciter une prière commune. Au même moment, les absents, où qu'ils soient, s'unissaient par la pensée à ce pieux témoignage. Nos ancêtres prenaient le temps de se souvenir.

Dans ce temps-là, on attachait de l'importance aux ornements de l'église pour les services. On avait d'ailleurs établi sept types de services funèbres, dont les coûts différaient. Naturellement, les jugements téméraires fusaient de toute part: «C'est trop cher pour ses moyens.» «Le gratteux*, il a fait chanter rien qu'un petit service», etc. Voici le détail d'un service avec sépulture de première classe, en 1880 (archives de la Fabrique): Curé, 1,50 $; bedeau, 2,55 $; deux chantres, 80 ¢; cinq clercs, 25 ¢; trois cloches, 1,60 $; grandes parures, 7,05 $; vingt-deux livres de cierges, 11,00 $. Le catafalque de première classe se compose de trois marches avec cinquante cierges sur les deux marches d'en bas, de deux grandes herses avec quarante-deux cierges et de deux petites herses placées sur la première marche d'en haut, autour du corps, et de quatre grandes herses de coin avec quarante-quatre cierges, placées sur les coins de la marche d'en bas.

On met toutes les tentures dans le chœur, dans la chaire et dans les jubés. On ferme tous les rideaux et on masque d'un voile noir les fenêtres du chœur. On met aussi un voile noir devant les autels. Ces voiles ont des franges d'argent dans les services des trois premières classes. Du 15 novembre au 15 avril, le tarif d'hiver prévoit un coût additionnel: 50 ¢ de plus pour une fosse d'adulte et 25 ¢ pour une fosse d'enfant.

Ces catégories de funérailles se distinguaient par les garnitures et les chandelles qui diminuaient en qualité et en nombre à chaque degré, de sorte que pour le septième et dernier type de funérailles, il ne restait que trois livres de cierges disposés de cette façon: des petits chandeliers, un cierge aux pieds et un cierge à la tête.

Les apparitions fantastiques

Autrefois, les histoires d'apparitions fantastiques, de loups-garous, de chasse-galerie*, de fantômes, captivaient les petits comme les grands. Dans les réunions familiales, les conteurs savaient retenir l'attention d'un auditoire par des récits fabuleux et prétendument véridiques puisqu'ils avaient vu de leurs yeux vu, l'événement en question. Ces faits entendus maintes fois étaient toujours suaves, surtout si l'historien était un notable digne de foi. Voici quelques exemples de ces histoires.

Un homme qui passait sept ans sans aller à confesse pouvait se changer en loup-garou. Or, un homme avait vu courir un grand chien blanc sur la côte au bord du fleuve. À la brunante, presque à la même heure, un loup passait rapidement pour disparaître aussitôt. Y voyant une révélation, l'homme pense à un de ses amis, un bûcheron, qu'il n'avait pas vu depuis longtemps, et qui n'était pas trop catholique. Un soir, notre brave homme partit avec un bâton et il se dissimula dans des broussailles près du passage de l'animal. À l'apparition de la bête, il eut juste le temps de s'élancer pour lui assener un coup sur le nez. Quelques

gouttes de sang surgirent et, au même instant, le loup-garou redevint un homme. C'était bien le bûcheron. Les deux amis promirent de ne jamais révéler le secret. Après une telle aventure, le pécheur reconnaissant avait promis de ne plus oublier la confession.

Au jour de la Toussaint, les garçons ne devaient pas aller voir les filles parce que les fantômes et les lutins guettaient leur proie. Un jeune garçon extravagant décida par fanfaronnade de rendre visite à sa bien-aimée. Malgré les supplications de ses parents, il attela son cheval, bien décidé d'affronter les apparitions. Cependant, sa bravoure n'était qu'apparente. Sur le chemin du retour, un fantôme l'a poursuivi; il voyait l'ombre de ses grands bras qui s'allongeaient pour l'attraper. Le cheval courait au grand galop sous les coups de fouet, mais le revenant suivait, toujours aussi menaçant. Enfin, plus mort que vivant, le pauvre jeune homme entra dans l'écurie avec son cheval épuisé. En sueur, le cœur battant, haletant de frayeur, il se crut enfin en sécurité. Hélas ! encore tremblant d'émotion au moment d'ouvrir la porte pour sortir, deux pattes se posèrent sur ses épaules. La frayeur le foudroya à l'instant; lorsqu'il reprit connaissance, le fantôme avait disparu. Il put se rendre à la maison.

Les loups-garous empruntaient parfois la forme d'un animal d'allure gracieuse. Un jour, un jeune homme raccommodait son soulier avec une alêne et de la babiche lorsqu'une chatte blanche à l'air abattu et maladif entra dans la pièce et tourna autour du cordonnier en miaulant. La lamentation langoureuse et plaintive finit par ennuyer le cordonnier au point qu'il appliqua un coup du manche de son alêne sur le museau de l'animal importun. Aussitôt, une goutte de sang perla sur la blessure et, au même instant, dans un cri strident et douloureux, la chatte se métamorphosa en une jolie femme que notre apprenti cordonnier reconnut pour l'épouse de son voisin.

Depuis un certain temps, un veuf dans la fleur de l'âge rendait régulièrement visite à ce qu'on pourrait appeler une veuve joyeuse. Mais voilà, notre homme craignait les commérages. La jeune veuve, exubérante, bavarde, excentrique et grassouillette n'avait pas bonne réputation. Néanmoins, les faibles ressentent quelquefois un attrait pour le fruit défendu. C'est sans doute pour cette raison que notre homme décida de passer outre aux qu'en-dira-t-on, de foncer et de réaliser son rêve.

Alors qu'il revenait de chez elle par une nuit sans lune, l'ardent veuf s'aperçut qu'une grosse bête aux yeux rouges le suivait. Instinctivement, il vida sa pipe encore fumante en la frappant sur le bord de la carriole; aussitôt, des flammèches s'élevèrent et firent disparaître le loup-garou dès qu'elles l'atteignirent. On a toujours cru que c'était le diable. Il va sans dire qu'après une telle aventure les amours ont vite été interrompues et l'homme demeura fidèle à sa défunte femme jusqu'à sa mort.

Les gars de chantier* jouissaient d'une renommée d'hommes rudes, forts et batailleurs. La sensiblerie, la délicatesse et la douceur étaient bannies de ces camps de bûcherons où il n'y avait ni confort ni présence féminine. Pour confirmer cette réputation de gaillards, les plus redoutables d'entre eux n'assistaient pas aux offices religieux; ils blasphémaient et parlaient aux démons.

Le dimanche, une chaloupe apparaissait miraculeusement afin de transporter par la voie des airs ceux qui voulaient aller voir leur blonde, en ville. Cependant, une condition indispensable était exigée des voyageurs: il fallait vendre son âme au diable. Celui qui hésitait ne pouvait monter à bord de la chaloupe. Une fois le pacte scellé, la chaloupe s'élevait dans les airs et les occupants se mettaient à ramer. Il fallait à tout prix éviter de toucher aux croix et aux clochers avec sa rame, car l'expédition était menée par le diable. On devait aussi s'abstenir de prononcer le nom de Dieu, sinon le canot tombait à la renverse. Après la veillée, les voyageurs revenaient à leur camp.

Un homme digne de foi rapporta un jour qu'il était certain d'avoir vu passer un canot en pleine nuit dans le ciel avec six hommes à bord. La véracité de cette affirmation fut confirmée dès le lendemain par la découverte d'une rame dans le jardin de ce notable.

Arthur était un garçon qui faisait le brave. Il disait qu'il n'avait pas peur des vivants, et encore moins des morts. Or, dans ce temps-là, on s'amusait à jouer des tours. Augustin, en particulier, appréciait grandement ce sport. Un soir, alors qu'il faisait très noir, et après s'être enveloppé d'un drap de toile blanche, Augustin se cacha sous la galerie en attendant le vantard. À l'arrivée d'Arthur, le fantôme fit son apparition. Les conséquences furent immédiates : en poussant un cri d'épouvante, Arthur passa la porte et tomba sans connaissance. Voyant la catastrophe inattendue, Augustin, qui voulait seulement éprouver le peureux, fut effrayé des conséquences possibles de sa rouerie ; il enleva son drap et passa par la porte arrière pour revenir ranimer son ami.

Cette histoire est restée secrète durant toute une génération, car aucun des deux personnages n'avait intérêt à la raconter. À une soirée chez la parenté, Augustin se soulagea du secret de sa mauvaise plaisanterie. On la trouva bien drôle. De plus, il avait le don de capter l'auditoire en racontant des histoires suaves.

Épiphane est un jeune homme reconnu pour son caractère indulgent et sa serviabilité. Cependant, il n'est pas des plus débrouillards et il est plutôt lent quand vient le temps de prendre une décision. Ce garçon n'est pas dans le besoin puisqu'il possède sa terre, des bâtisses solides, un peu d'argent, bref, de quoi rendre envieux les jeunes gens de son âge. Pourtant, Épiphane est songeur. Il veut fonder un foyer, mais il est gêné, embarrassé et figé quand vient le temps de parler aux filles. C'est fort dommage, d'autant plus que depuis quelque temps, il s'intéresse aux demoiselles Caron. Les deux familles se connaissent bien puisque leurs terres sont presque voisines. De plus, le curé n'a-t-il pas dit dans ses exhortations : « Jeune homme, si tu veux être heureux, marie-toi à ta porte avec une fille de ta sorte. » Épiphane, conforté par cette sentence, se présente donc pour le bon motif. Monsieur Caron, enchanté, le reçoit avec déférence, car il voyait dans ce jeune homme bien établi un bon parti pour l'une ou l'autre de ses deux jeunes filles. Tout allait bien, sauf qu'Épiphane ne parvenait pas à choisir entre les deux, même après quelques soirées passées en leur compagnie.

Nérée, un jeune homme décidé, voit dans Marie sa future blonde, mais il sait bien qu'Épiphane aura préséance puisqu'il est dans les bonnes grâces du père.

Nérée décide néanmoins, avec l'aide de ses copains, de jouer un bon tour à Épiphane. Il se couvre d'un drap blanc et il grimpe dans un arbre en bordure du chemin que devra prendre notre indécis. La nuit dissimule le fantôme, et les amis sont cachés. Un bruit de pas s'avance dans la nuit. Soudain, une voix au sommet de l'arbre se fait entendre : « Phanie, Phanie, marie-toi. » Épiphane, saisi, s'arrête et aperçoit dans le clair de lune un ange du Seigneur. Croyant sans hésitation à un appel de Dieu, il interroge le messager : « Laquelle prendrais-je, Seigneur ? », dit-il à l'apparition. « Luca sera ta femme », répondit l'ange céleste.

Épiphane, tout heureux, gardera bien secret dans son cœur cette vision angélique. Deux mois après la révélation, le curé publiait les bans du mariage d'Épiphane et de Lucie.

En faisant le bonheur de Phanie, Nérée préparait le sien.

Dans le temps des Fêtes, c'était comme ça

De tout temps, la célébration des fêtes de Noël et du jour de l'An n'a jamais laissé personne indifférent. Évidemment, ces célébrations varient selon les peuples et les coutumes. Toutefois, les générations ont toujours participé aux solennités qui favorisent la paix, l'amour, la réconciliation.

Autrefois, il arrivait que le curé annule la célébration de la messe de minuit pour des raisons de sécurité. La crainte des tempêtes ou du feu causé par l'imprévoyance, ou même des raisons personnelles pouvaient motiver la décision du prêtre. Alors, quand on célébrait la messe de minuit, nul ne voulait la manquer.

Au clair de lune, dans les chemins ou à travers les champs, défilaient les berlots et les sleighs transportant, bien emmitouflés dans les peaux de carrioles*, les femmes capuchonnées d'une chape, les enfants masqués de leur crémone et les hommes renfrognés dans le collet de leur paletot. Le silence de la nuit était rompu par le son des grelots que les chevaux agitaient dans leur course. Les bêtes s'arrêtaient à la porte de l'église pour laisser descendre les passagers. Avant la messe, le bedeau avait allumé les fournaises : celle du côté des femmes et des enfants, et l'autre du côté des hommes, car la salle était cloisonnée au centre. Puis, le conducteur allait dételer le cheval et le mener à l'abri dans une écurie des environs à laquelle il avait accès moyennant rétribution.

L'église, chauffée au bois et éclairée par quelques lampes à l'huile, favorisait l'intimité de la grande famille paroissiale. À l'homélie, le sacristain précédait le curé jusqu'à la chaire, puis il remettait les recueils liturgiques au prédicateur. Ensuite, après une révérence, il s'assoyait sur un petit banc un peu retiré, comme un chien de garde. Après le sermon, le vieux bedeau reprenait les livres et il marchait devant le prêtre jusqu'à l'autel. De là, il revenait vers les fidèles pour « piquer une bonne attisée* » à chacun des deux poêles. Évidemment, cette atmosphère stimulait le recueillement et l'émotion dans l'assistance profondément chrétienne. Après la cérémonie religieuse et le retour au foyer, un réveillon aux cretons et à la tête fromagée faisait les délices d'un monde en appétit à la suite de l'observance du jeûne de l'Avent.

La salle paroissiale

Avant la messe, on allait se décapoter à la salle. Le dimanche matin, le bedeau avait pris soin d'allumer les poêles, un du côté des femmes et des enfants, l'autre du côté des hommes.

212

Autrefois, l'assistance à la messe de minuit était considérée comme un témoignage de réjouissances religieuses plutôt que l'accomplissement obligatoire d'un devoir chrétien. «À Noël, vous devez assister à la messe solennelle du jour comme un dimanche pour satisfaire aux préceptes de l'Église, à moins d'avoir une raison grave de vous en abstenir.» Cet ordre était lancé au prône du dimanche précédent par le curé. Le matin de la fête, tous les paroissiens s'encapotaient* de nouveau, sans regimber, pour se conformer aux usages établis. Ensuite, on se laissait glisser dans le traîneau tiré par le cheval. Ce devoir religieux favorisait aussi les invitations à la porte de l'église. Le jour de Noël, c'était grande fête. Les parents ressentaient le besoin de s'aimer davantage. Au souper, un grand nombre de convives se réunissaient autour de la longue table. Et on ne se quittait qu'après une soirée à laquelle tous avaient contribué en faisant montre de leur talent: chansons, harmonica, jeux de société, blagues.

Le jour de l'An était une fête à caractère plus solennel. La veille, le sommeil des enfants avait été troublé par la possibilité de ne pas avoir d'étrennes. Et cette crainte était bien justifiable car, pour avoir la paix, la mère a souvent lancé l'avertissement suivant: «Si vous êtes encore tannants, le petit Jésus, qui vous voit, va vous punir, puis il va passer tout droit au jour de l'An.»

Un silence inhabituel imprégné de gêne et d'émotion régnait dans la maison d'ordinaire si grouillante. C'est que le père venait d'entrer après le train de l'étable. La nouvelle année s'amorçait par la bénédiction paternelle, symbole du respect de l'autorité. Le chef de famille, dans un maintien solennel, se tenait debout, le visage fixé sur la croix noire. Tous les enfants s'agenouillaient en face de lui, de même que la mère. «Papa, voulez-vous nous bénir?» Selon la coutume, cette demande était formulée par l'aîné. D'un ton pathétique, la bénédiction de Dieu descendait sur cette famille respectueuse de sa religion et de ses traditions.

Après les travaux ménagers de tous les jours, on se gréyait pour la grand-messe. Tout joyeux, les enfants s'entassaient dans la carriole avec l'espoir de recevoir les étrennes du curé. En effet, certains prêtres entraient dans la ronde du partage et de la joie en offrant un cadeau aux petits de la grande famille paroissiale.

Il va sans dire qu'après l'office les jeunes ne respectaient pas l'ordre de la sortie traditionnelle de l'église. Toutefois, au jour de l'An, le monde était indulgent pour les enfants qui, dans leur précipitation, dépassaient les grandes personnes. «Jambes au cou», les plus grands traînaient par la main les petits qui devaient voler par moment pour suivre dans le chemin qui conduisait au presbytère.

Enfin, le curé ouvrait la porte à cette foule d'enfants trépidants et joyeux. La table était garnie de sacs bien rangés qui contenaient une orange, des bonbons français, des tuques* en chocolat, etc. La ménagère, souriante, les mains appuyées sur les hanches, essayait de calmer les ardeurs en disant: «Poussez pas, les enfants, vous allez tous en avoir.» Le curé

Les étrennes de M. le curé

Certains prêtres entraient dans la ronde du partage et de la joie en offrant un cadeau aux petits de la grande famille paroissiale.

observait avec satisfaction l'admiration des petits qui jetaient un regard avide dans le sac avant de le fermer avec leurs deux mains. Ce souvenir d'enfance est toujours remémoré avec émotion par ceux et celles qui l'on vécu.

La fête du jour de l'An n'aurait pas été complète sans la visite chez le grand-père. Pour la circonstance, les vaches avaient plus tôt leur ration et on s'endimanchait le plus coquettement possible. Quel spectacle plus émouvant que l'accueil des grands-parents recevant la nombreuse famille en cette fête solennelle du jour de l'An ? Après les premières salutations, les vieux passaient dans le « p'tit salon », grand-mère allumait la lampe à l'huile, puis sa fille s'agenouillait pour recevoir la bénédiction de son père.

Après cette deuxième bénédiction et le décapotage*, c'était la ronde des poignées de main, des embrassades, des souhaits. Quelques revers de la main essuyaient discrètement la trop forte pression des « mon oncle » moustachus. Toute la parenté manifestait sa joie débordante à l'arrivée de chaque famille et bien sûr le cérémonial en usage recommençait avec le même enthousiasme.

Les victuailles répandaient un arôme appétissant. Les femmes se couvraient d'un grand tablier blanc pour faire le service de la table. Les convives se régalaient de ragoût, de pommes de terre, de rôti de lard, de tourtières, de tartes à la pichoune, de gâteaux, de confitures. Il y en avait pour tout le monde.

Ce soir-là, les hommes avaient le verbe haut. Inévitablement, la conversation s'engageait sur les exploits extraordinaires de leurs chevaux ou sur la politique. Dans ce dernier cas, le terrain était mouvant, car l'esprit de parti ne permettait aucune concession.

Les festivités continuaient jusqu'aux Rois*. Autrefois, les parents entretenaient des liens d'amitié. La distance n'était pas un obstacle, car le cheval a toujours conduit ses maîtres à bon port. C'est ainsi que les histoires, les légendes, les contes, les chants et autres traditions se sont transmis d'une génération à l'autre.

La fête du jour de l'An chez grand-père

Les victuailles répandaient un arôme appétissant. Il y en avait pour tout le monde.
Les femmes faisaient le service et les hommes avaient le verbe haut.

Glossaire

Aigrettes: Parties ligneuses d'une tige de lin dépouillée de ses filaments.

Appentis: Abri ouvert sur plusieurs côtés où l'on range du bois de chauffage et divers instruments aratoires.

Babiche: Étroite lanière de cuir.

Baboche: Mauvais alcool.

Bacul: Palonneau.

Bâdre: Du verbe « bâdrer », de l'anglais « to bother »; ennuyer, importuner.

Batterie: Partie d'une grange au plancher bien ajusté où l'on bat le grain.

Bécosses: De l'anglais « back house »; latrines situées à l'extérieur de la maison.

Ben: contraction du mot « bien ».

Blé d'Inde: Maïs.

Boghei: Voiture à quatre places, dont le toit peut être plié.

Bottes sauvages: Bottes artisanales, faites de peau de vache ou de veau.

Boucane: Fumée.

Boucheries: Époque de l'année, généralement au mois de décembre, où l'on procédait à l'abattage et au dépeçage des bêtes de boucherie.

Bourrasser: Traiter rudement, en parole.

Braye: Instrument utilisé pour broyer la tige de lin; appelée « broie » en France.

Brayer: Broyer des tiges de lin.

Cabale: Propagande.

Cabaleurs: Propagandistes.

Cabane à sucre: Bâtisse grossière construite dans une érablière et où l'on prépare le sirop d'érable.

Canistre: De l'anglais « canister »; bidon.

Cannelles: Bobines de fil.

Capots: Grands manteaux de fourrure, sans capuchon.

Carré: Endroit de la grange où l'on range le grain et la paille.

Cassot: Récipient de bois placé au pied de l'érable pour recueillir la sève qui tombe de la goudrelle.

Catalognes: Couvertures faites à partir de retailles multicolores. Peut aussi servir de tapis.

Catins: Poupées.

Cavalier: Prétendant.

Ceneliers: Aubépines.

Cenne : Déformation du mot « cent ».

Centins : Cents. Ancien nom officiel du sou.

Chaise berçante : Chaise montée sur deux patins en forme d'arc.

Chape : Châle en tricot, habituellement en laine.

Chasse-galerie : Légende française adaptée au Canada par les voyageurs et les coureurs des bois. Selon cette légende, on pouvait voyager en canot d'écorce à grande vitesse dans les airs, à la suite d'un pacte avec Satan. Il fallait évidemment respecter des conditions précises, sous peine de perdre son âme.

Chassis : Fenêtres.

Chaudière : Seau de métal.

Cogner des clous : Somnoler en position assise, alors que la tête oscille de haut en bas.

Compérage : Cortège des invités à un baptême.

Connétable : Personne chargée de la garde d'une église et qui précède les membres du clergé dans une procession.

Consommage : Restes de boucherie non comestibles qu'on fait bouillir pour en faire du savon.

Corvées : Travail accompli collectivement et bénévolement par plusieurs personnes.

Coulée : Quantité de sève recueillie dans une période de temps déterminée.

Créature : Habituellement au pluriel; les femmes.

Cretons : Genre de rillettes.

Criée : Annonce à haute voix, à la porte de l'église, le dimanche.

Crieur : Personne chargée de communiquer oralement les avis publics à la porte de l'église, après la messe du dimanche.

Cuisine d'été : Pièce attenante à la maison où l'on prépare et prend les repas pendant l'été.

Cul bleu : Partisan du Parti conservateur. Autrefois, on attribuait une couleur aux deux principaux partis politiques du Canada : le bleu pour le Parti conservateur, le rouge pour le Parti libéral.

Décapotage : Le fait d'ôter son manteau et ses bottes d'hiver.

Diplôme d'Allemagne : Déformation de l'expression « diplôme de l'École normale ».

Échiffer : Écharper.

Entaille : Du verbe « entailler »; pratiquer une ouverture dans l'écorce d'un érable afin d'en recueillir la sève.

Épinette : Variété de conifères qui pousse en Amérique du Nord.

Facteries : Usines ou manufactures, habituellement spécialisées dans le textile.

Faire le frais : Faire de l'esbroufe.

Faire le jars : Faire de l'esbroufe.

Faire sa petite run : De l'anglais « to run »; faire sa tournée.

Feluettes : Faibles, de santé fragile.

Fleur : De l'anglais « flour »; farine.

Fourgaille : De « fourgailler »; s'agiter, s'affairer inutilement.

Fournil : Hangar, où il n'y a ni four ni fourneau.

Fret : Déformation du mot « froid ».

Fusées : Masses de fil accumulées sur un dévidoir.

Gars de chantier: Bûcherons.

Goudrelle: Pièce de bois ou de métal qu'on enfonce dans le tronc d'un érable pour permettre l'écoulement de la sève.

Graisse de panne: Saindoux.

Gratteux: Avare, pingre.

Greye: Du verbe «greyer»; 1. Munir du nécessaire; 2. Habiller.

Grillades: Tranches de lard grillées.

Habit de ville: Vêtements neufs, propres.

Hart: Fine branche de cornouiller utilisée pour lier les gerbes.

Hêtrière: hêtraie, sol planté de hêtres.

Hospor: Déformation de l'expression anglaise «horse power».

Jaquette: Chemise de nuit.

Javelier: Genre de faux munie d'un ratelier qui recueille les épis au fur et à mesure qu'ils sont coupés pour faciliter la mise en javelle.

Kid: Cuir de chevreau.

Laiterie: Bâtiment secondaire où l'air est plus frais et dans lequel on entrepose de la nourriture périssable.

Lessi: Solution d'eau et de potasse qu'on porte à ébullition.

Lot en bois debout: Terre non défrichée.

Ma fri: Déformation de l'expression exclamative «Ma foi».

Maligne: Qui s'irrite facilement et promptement.

Manger de l'avoine: Être trompé, déjoué par des rivaux.

Marinades: Légumes conservés dans une solution vinaigrée.

Mil: Graminée appelée fléole en France.

Moulin à battre: Batteuse à grains.

Moulin à scie: Scierie.

Musique à bouche: Harmonica.

Nordet: Vent froid du nord-est.

Palette: Baguette de bois, aplatie à l'une des extrémités, qu'on utilise pour brasser un mélange pendant la cuisson.

Papermanes: De l'anglais «peppermint»; pastilles de menthe.

Patenté: Du verbe «patenter»; inventer.

Patenteux: Inventeurs.

Pays d'en haut: Générique sous lequel on désignait autrefois toute la région située au nord du haut Outaouais.

Perche: Gaule fixée à une charrette pour en consolider la charge.

Perron: Petite galerie

Pis: contraction du mot «puis».

Piton: Vieux cheval.

Pleureuse: Voile de deuil porté par une veuve.

Pochon: Sac.

Poêle à trois ponts: Cuisinière comprenant un foyer et un étage pouvant servir de four.

Poêle: Cuisinière. L'expression «bavette du poêle» désigne la plaque de fonte qui s'avance sous la porte du foyer afin d'empêcher les tisons et la cendre de tomber sur le plancher.

Quêteux: Mendiants.

Rois : Fête de l'Épiphanie.

Rouleaux : Essuie-mains suspendus à un rouleau de bois.

S'appareiller : Se préparer.

S'encapotaient : De « s'encapoter »; revêtir son manteau.

Siaux : Seaux.

Siffleux : Marmotte.

Sleigh : Traîneau léger monté sur patins.

Solage : Fondations d'un édifice.

Souliers de beu : Souliers faits à la main, à partir de peau de bœuf ou de vache.

Steak : Bifteck.

Sucre du pays : Sucre d'érable.

Sucrerie : Forêt d'érables exploitée pour le sirop ou le sucre d'érable et la tire.

Talles : Touffes.

Tannants : Figuratif et populaire; qui importunent, qui dérangent.

Tartes à la pichoune : Tartes garnies d'un mélange de mélasse et de farine.

Tasserie : Endroit d'une grange où le foin est entassé de façon compacte.

Tête fromagée : Genre de rillettes à base de rognons et autres parties d'une tête de porc.

Tissure : Fil de trame, attaché à la navette, qui passe dans la chaîne.

Tourtières : Pâtés à la viande de lard haché.

Train (faire) : Soigner les animaux et changer la litière.

Tuques : Bonnets de laine tricotée.

Van : Instrument fait de planches légères et peu épaisses pour vanner les céréales.

Vartu : Déformation du mot « vertu ».

Table des matières